CW00546338

Atlantea
Du Sphinx à l'Atlantide
L'aventure spirituelle

Sandrine Aubertin

Atlantea
Du Sphinx à l'Atlantide
L'aventure spirituelle
Roman

LE LYS BLEU
ÉDITIONS

© Lys Bleu Éditions – Sandrine Aubertin

ISBN : 979-10-377-4746-4

Le code de la propriété intellectuelle n'autorisant aux termes des paragraphes 2 et 3 de l'article L.122-5, d'une part, que les copies ou reproductions strictement réservées à l'usage privé du copiste et non destinées à une utilisation collective et, d'autre part, sous réserve du nom de l'auteur et de la source, que les analyses et les courtes citations justifiées par le caractère critique, polémique, pédagogique, scientifique ou d'information, toute représentation ou reproduction intégrale ou partielle, faite sans le consentement de l'auteur ou de ses ayants droit ou ayants cause, est illicite (article L.122-4). Cette représentation ou reproduction, par quelque procédé que ce soit, constituerait donc une contrefaçon sanctionnée par les articles L.335-2 et suivants du Code de la propriété intellectuelle.

À Paolo, ton souvenir m'appartient et perdure. À Edmond, mort en déportation.
À Nenette, ton humour décapant et ta joie de vivre m'ont montré le chemin. Les anges doivent bien se marrer. Tu manques à ma vie.
À Louisette et Hélène, mes grands-mères. À mon père, Bernard. À Lucia, ma grand-mère de cœur. À mon frère, Thierry que j'aurais aimé revoir. À ma mère, guerrière et combattante dans toutes les épreuves de sa vie. À tous ceux que l'on aime et à tous ceux que l'on perd mais qui restent là, gravés à jamais dans nos cœurs.
À Taw Hawk, à Hiri et Enlil mes guides spirituels.

La vie n'a pas de hasard, il n'y a pas de coïncidences, tout est relié. Chaque chemin est unique, chaque être sacré, chaque étape est une expérience pour évoluer. Il faut croire à l'impossible car l'impossible est possible.

Prélude

Cette histoire est une fiction qui se base sur des ressentis personnels, des messages, des images et des convictions profondes. Passionnée par les civilisations perdues, j'ai souvent pensé que le passé n'est pas ce que l'on nous raconte et qu'il est plus grand que ce que l'on peut penser. Pourquoi, croire que nos ancêtres ne sont que des hommes de Cro-Magnon peu évolués et pourquoi ne pas supposer que plusieurs civilisations aient pu habiter cette planète ? Les vestiges sont un témoignage, un livre ouvert. Pourquoi s'arrêter à la terre ? Puisque l'univers est grand, il y a donc de fortes probabilités pour qu'une espèce, similaire à la nôtre ou pas, existe. Si tel est le cas, pourquoi ces gens ou plutôt ces extraterrestres n'auraient pas eu une intelligence plus élevée que la nôtre ? Surtout pourquoi n'auraient-ils pas pu venir jusqu'à notre planète Terre ? Notre esprit est formaté depuis notre plus jeune âge, nous pensons être le centre d'un tout quand au fond nous ne sommes que le fruit de ce tout. Quand nous ouvrons notre esprit, on y voit certes plus clair mais surtout nous comprenons que tout devient possible et que l'impossible n'est pas concevable. La vie est d'une beauté inouïe. La nature est merveilleusement bien faite. Chacun de nous pourrait avoir son lot d'émerveillement en ouvrant grand les yeux. C'est en regardant les signes qui passaient devant moi et en m'y fiant que j'ai compris que le hasard n'avait pas sa place au milieu de tout cela. La réponse est à l'intérieur de nous et nous la connaissons. Elle saura venir quand les murs et barrières, très tôt infligés dans notre enfance, tomberont. Chaque être vivant est une vérité. Chacun porte sa propre vérité. Chaque arbre, chaque fleur, chaque abeille est une évidence et a un rôle bien défini. L'homme n'est point coïncidence. L'homme est la preuve que le merveilleux existe.

Atlantea est venue à moi en 2004 et a tout d'abord été un spectacle musical. Voici venu le temps de poser l'histoire telle que je la conçois dix-sept ans après. C'est le bon moment. Je me suis beaucoup documentée sur l'Atlantide. J'ai aussi été enthousiaste aux propos d'Edgard Cayce et ses lectures sur le continent perdu. Je le citerai sûrement à quelques endroits. Je conseille aussi de le lire. Atlantea reste une fiction spirituelle qui surgit du plus profond de mon être. Fiction pour ceux et celles qui préfèrent voir ce livre ainsi et une vérité pour les autres. Je ne suis qu'un canal et les mots qui se posent sont comme une évidence. J'espère que cet écrit saura inonder les âmes de désirs positifs et constructifs, qu'il permettra de donner le goût de petits riens dont nous avons tous besoin et qui apportent tant. J'espère que les esprits grandiront et s'éveilleront. Je souhaite que chaque lecteur trouve la paix.

L'aventure Atlantea a commencé pour moi avec ce texte que je décide de partager pour introduire ce qui va suivre.

Atlantea

Qui peut dire qu'il connaît
La vie, ce qu'il en est,
Mais qui peut bien prouver
Qu'il existe un après,

Un Dieu là, tout là-haut,
Quelque chose de plus beau,
Qui sait vraiment la terre
Les origines mères,

On n' sait pas plus, pas moins,
Que c' qu'il y a dans nos mains,
Quelques lignes tracées
Ou bien quelques idées,

Atlantea,
Je vis, j'entends ta voix,
Même si je n' te vois pas
Je sais que tu es là,
Atlantea,
Je te ressens en moi,
La réponse est en toi,
Là dans mon corps tu bats…

Quel homme peut prétendre
Tout savoir, tout comprendre,
Mais qui peut ignorer
L'histoire et le passé,
On ne sait pas grand-chose,
On n' voit qu'à petite dose,
Qui sait quoi de la terre
Sur ce qu'il y a derrière,

Mais qui sait d'où l'on vient
Et quel est le dessein,
On suppose simplement

Et avance dans le vent,

Atlantea,
Je vis, j'entends ta voix,
Même si je n' te vois pas
Je sais que tu es là,
Atlantea,
Je te ressens en moi,
La réponse est en toi,
Là dans mon corps tu bats…

Découvrir l'impossible

Lorsqu'une idée naît, elle se doit d'être écoutée, de grandir, de mûrir. Quand elle se perd, c'est qu'elle n'est pas faite pour survivre. Quand elle perdure, elle doit aboutir. Cela devient alors une conviction profonde. Le monde tourne et chacun de nous doit prendre sa place.

Le passage de témoin

Il y a des énigmes qui fascinent et qui aiguisent la curiosité. Sur terre, nombreux sont les vestiges qui tendent à démontrer l'existence de civilisations ayant atteint des limites qui nous paraissent, encore aujourd'hui, infranchissables. Leurs clairvoyances, leurs techniques, leurs savoir-faire peuvent nous laisser sans mots. Personne jusque-là n'a pu trouver d'explications rationnelles à ces mystères qui remettent en cause ce que nous connaissons de notre propre histoire et de l'humanité elle-même. Les scientifiques et les chercheurs essaient de démontrer par A+B que nos ancêtres sont à l'origine de ces trésors laissés. Je n'y crois pas. J'espère vous convaincre du contraire et démontrer au monde que ce que l'on nous inculque n'est pas la réalité. Le but de mon récit est d'éclairer et d'ouvrir les âmes afin que jamais plus nous ne commettions les mêmes erreurs. Voilà, mon histoire et celle d'un peuple venu de loin.

Je m'appelle Eluan. J'ai vingt-neuf ans. Je suis aventurier reporteur et je fais des films documentaires aux quatre coins du monde. Mon père, Paolo, était archéologue. Il est né à Rome. Je pense que cette ville a été, pour lui, une vraie révélation dans sa vie future. Je peux dire qu'il est né au bon endroit au bon moment. Il est l'élément déclencheur de cette aventure formidable. Il a été le premier à découvrir en décembre deux mille treize, un peu avant sa mort, un manuscrit nommé « Atalantéamis », à Gizeh en Égypte, à deux mètres du Sphinx, et ce, après vingt ans de recherches effrénées. C'est en fumant une cigarette, accoudé à cette statue colossale, qu'il se posa les questions suivantes :

Pourquoi le Sphinx est-il là, ancré, comme s'il était le gardien des pyramides et du temps ? Que regarde-t-il ?

Mon père comprit que le regard figé de l'animal sur l'horizon n'était en fait qu'un leurre et qu'il trouverait au plus près de cette œuvre ancestrale plus qu'il ne pouvait espérer. Chercheur rejeté et non reconnu par sa profession, il fit la découverte que beaucoup auraient aimé faire. Mon père ne laissait jamais la place au hasard et avait des croyances profondes. Il avait cette énergie qui le poussait à fonctionner à l'instinct plutôt qu'avec des calculs qui bien souvent ne l'amenaient à rien de concret, ne prouvaient rien et qui obligeaient les hommes à s'immobiliser dans une sorte de cercle vicieux. Il ne souhaitait pas avoir cette conscience étriquée qui ne lui laisserait que très peu de chances de trouver. Il disait :

« Les hommes savent et ont en eux la réponse aux questions, il suffit de l'écouter ».

Il est mort six mois après sa découverte en juin deux mille quatorze, à l'âge de soixante-deux ans. J'étais en périple en Amérique du Nord. Il n'a jamais révélé le secret du manuscrit, affirmant que l'on saurait bien assez tôt ce qu'il avait trouvé. En fait, je crois qu'il connaissait la suite et il avait en tête que je reprenne le flambeau. Il a été découvert dans son appartement gisant sur le sol, le crâne fracassé. Le médecin légiste a conclu à une mauvaise chute. Ma mère était dans tous ses états. C'est elle qui m'a prévenu. Elle était sortie faire quelques courses au moment du drame. Elle a retrouvé l'habitation saccagée et retournée. Ce n'était pas un mauvais coup du sort. Elle pensait que des intrus étaient entrés par effraction pour prendre possession du manuscrit. La serrure était forcée mais la police a classé l'enquête sans suite précisant que mon père avait perdu la tête. Ce que je sais c'est qu'il était fier et droit et qu'il n'aurait jamais dévoilé le lieu où se trouvait le livre sacré. Il préférait mourir que de se soumettre. Il préférait être solide et souffrir. J'ai dû rentrer en urgence pour assister à la crémation de mon paternel. Je venais de perdre mon héros. Celui qui m'a poussé à partir explorer la vie et le monde autrement que par les livres. Il venait de m'offrir sa place et je ne le savais pas encore. J'avais le cœur lourd mais ma seule idée était de retrouver le manuscrit avant ces malfaiteurs. Je voulais suivre la piste de mon père. Je voulais savoir pourquoi, il a préféré la mort à la vie et quel secret pouvait contenir cet écrit. Je n'allais pas repartir en Amérique du Sud. Cela n'était plus possible. J'avais un avantage et j'allais m'en servir. Mon père cachait les objets qui lui étaient précieux dans un endroit que je connaissais. Je devais donc m'y rendre. Muni d'une force et d'une détermination incroyable, j'ai pris ce jour-là ma vie en main pour changer à jamais ce qu'aurait pu être demain c'est-à-dire une vie pleine de voyage mais sans aucune connaissance de la réalité du monde.

À présent…

Je tourne et je vire dans mon appartement proche du Colisée. J'ai cette blessure en moi et ce manque. Je n'arrive pas à me faire à l'idée que je ne reverrai plus mon père. Je l'entends crier « Porca Miseria » quand rien n'allait pour lui. Sa voix tinte encore dans mes oreilles. C'est incessant. Je ne sais pas si la mort est une fin ou si mon père est là, quelque part, et me regarde. Je suis triste et en colère mais je décide de faire bon usage de ma rage. Je choisis de réunir toutes les informations que j'ai. Les plans que mon père m'a laissés et les quelques écrits qu'il m'a confiés. Je lui dois ça. Je lui dois ce que je suis. Il a donné sa vie c'est une raison suffisante pour comprendre et pour attiser ma curiosité. Comme lui, la mort m'arrêtera sinon j'irai découvrir la vérité. Il m'a toujours dit qu'un jour sa quête serait mienne. J'en fais là le serment. J'allume la flamme, la passion et toute la curiosité qui m'anime et d'instinct, j'attrape les clefs du tombeau de ma grand-mère. Je compte aller récupérer le manuscrit. J'appelle mon ami d'enfance Pablo et lui demande de me retrouver au cimetière Monumentale Verano de Rome. Sur place, je lui explique la situation et je sais qu'il s'attendait à devoir m'épauler. Ensemble, nous nous dirigeons vers la sépulture de ma grand-mère. Les allées sombres et sinueuses du cimetière ne sont pas rassurantes mais l'adrénaline nous procure une sensation quasi hystérique. Pablo me connaît, je n'ai pas eu besoin de lui en dire plus. Il est au courant de ce que je recherche. J'ouvre la porte du tombeau. L'endroit est poussiéreux. Nous faisons un signe de croix furtif devant le cercueil de ma grand-mère. Je montre la dalle sur le sol à Pablo et nous unissons nos forces pour soulever la pierre bien incrustée dans le sol. Rien n'y fait, elle reste accrochée. Pablo sort de son sac un pic en fer et commence à creuser autour et sur le dessus de la dalle jusqu'à faire apparaître une poignée de cuivre. Il commence à tirer et je glisse mes mains sous le carreau de cette pierre massive. Ça bouge. Je me demande comment mon père a fait pour la soulever ! J'éclaire la cache de mon téléphone portable et j'aperçois une petite malle en bois vieilli. Nous l'attrapons et la délivrons de son antre. J'ai trouvé ce que je cherche. Nous prenons grand soin de remettre le tombeau en ordre et sortons d'un pas léger. Pablo sera l'homme qui veillera sur moi. Il assurera mes arrières dans toute cette entreprise et ces découvertes futures. Nous sortons du cimetière et prenons la direction de mon loft. J'ouvre le coffre…

Paolo

Je saisis le DVD à l'intérieur de la malle et me précipite pour le glisser dans le lecteur de ma télévision. À l'écran apparaît cet homme solide qu'est mon père…

« Mon cher fils,

Si tu vois cette vidéo, c'est que je ne suis plus de ce monde. Ils m'ont tué. Qui ? Ceux qui veulent garder le secret. Ceux qui ne voient aucun intérêt à expliquer au monde qu'ils ne sont pas ce qu'ils croient être. Pas besoin de faire une liste. Je te demande juste de ne pas pleurer ma mort. Ne t'apitoie pas sur mon sort. Ma vie a été belle et je n'ai pas de regrets. J'ai eu la chance de connaître ta mère et de t'avoir transmis ma ferveur pour les civilisations anciennes. Souris et avance. Ne te retourne pas. Tu connais mon combat, tu connais ma recherche. Tu connais mes défis. Ce que je sais, ce que j'ai découvert, tu en es maintenant le seul garant. Ma quête est la tienne. Je sais que tes voyages t'ont ouvert l'esprit. Qu'ils t'aideront dans ce que tu vas entreprendre et voir. Je me souviens avoir fait promettre à Pablo d'être là pour ce jour fatidique et j'espère que ce petit idiot n'y manquera pas. Évidemment, je sais qu'il sera là. Il connaît lui aussi l'importance de ce qui va arriver. Alors, je ne ferai pas dans le mélodrame, je vais vous donner mes instructions. Tu diras simplement à ta mère que je l'aime et que j'ai été heureux de partager sa vie. À toi et à Pablo, que j'ai toujours considéré comme un fils, je suis fier de vous.

Les instructions sont simples.

La première : Il vous faut une équipe. Toi Eluan, tu es l'élu. Celui qui devra découvrir et révéler. Pourquoi ? Ne pose donc pas de questions. Tu comprendras. Pablo ? À quoi tu vas bien pouvoir servir mon gars ? Puisque tu es doué pour te battre et que je t'ai sorti de prison à maintes reprises, tu me dois ta liberté ! Tu es chargé de veiller sur Eluan jusqu'à ce que le secret soit annoncé. Je te fais confiance, nous en avons parlé ensemble à maintes reprises.

Il vous faudra à tous les deux de l'aide. J'ai deux noms à vous donner pour avoir une équipe solide. Tout d'abord, Paolina Pétri. Elle était avec moi lors de ma découverte. C'est une chercheuse, spécialisée dans les écritures égyptiennes. C'est elle qui vous permettra d'avoir accès au Sphinx. Et je ne vais pas faire d'exception à la règle. Dans chaque histoire son MacGyver, la personne débrouillarde qui a pu me conduire là où je suis allé. Sans elle, pas de passage. Lisa Bario. Un vrai mec dans un corps de femme. Si une porte reste coincée, elle s'occupera de passer au travers ! Cette femme est un sacré phénomène.

Dans la malle, tu trouveras comment les contacter. N'hésite pas à le faire au plus vite.

La seconde instruction : vous avez la malle et donc le manuscrit sacré. Je ne vous donne pas plus de deux heures avant qu'une équipe au service de l'état n'arrive pour faire le ménage. Un conseil, Partez ! Partez vite ! N'allez pas dans des lieux que vous connaissez. J'avais donné consigne à ta mère de se mettre à l'abri s'il m'arrivait quelque chose et je sais qu'elle le fera. Ne t'inquiète pas pour elle, elle sait où aller.

La troisième et dernière instruction : après avoir pris contact avec Lisa et Paolina, jetez tout ce qui peut servir de traceur comme un téléphone portable, une carte bancaire… Partez, partez sans délai pour l'Égypte. Les filles vous guideront.

Voilà les gars ! Rien d'extraordinaire jusque-là dans votre vie ordinaire. J'espère que vous êtes prêts à entendre la véritable histoire de l'humanité et à reconsidérer la position de l'humain ici-bas. »

Je regarde Pablo d'un air paniqué. Un bruit à la porte nous fait sursauter. Nous prenons nos affaires, le DVD, le manuscrit bien au chaud dans mon sac à dos, les coordonnées de Lisa et Paolina. Pablo regarde par l'œil de Judas, rien à signaler. Il est temps de partir. Nous empruntons les escaliers pour descendre avant de nous raviser et de remonter jusqu'à l'étage supérieur, d'un pas léger. Des hommes arrivent. Nous attendons dans le calme. Les bruits se font de plus en plus violents. Ils essaient de pénétrer à mon domicile et finissent par y arriver. Nous décidons de monter jusqu'au dernier étage de l'immeuble et de fuir. La sortie est risquée mais elle est notre unique chance. À l'aide de l'échelle de secours, nous réussissons à nous échapper par la fenêtre donnant sur le toit. Par chance, nous avons réussi à rejoindre un vieux bâtiment à quelques rues de chez moi et sommes descendus par les balcons de ce dernier. Nous avons fini par atteindre une rame de métro et par trouver un hôtel isolé, un peu délabré. Je décide de ne pas attendre et de prendre contact avec Lisa et Paolina. Nous nous fixons un rendez-vous le lendemain matin à l'aéroport. Lisa va se charger de prendre des billets d'avion et de nous procurer de faux passeports. Nous partons pour l'Égypte.

L'Égypte et le Sphinx

Je suis avec Pablo dans un taxi en direction du point de rencontre. Il est tôt et il y a peu de circulation. Nous devons retrouver nos acolytes près des arrêts d'autocar de l'aéroport Fumiciano. C'est plus discret. Nous les apercevons et nous présentons mais Lisa donne les directives sans même prendre le temps de faire connaissance :

« Un homme et une femme. Nous serons des couples le temps du voyage. Marchons à distance raisonnable les uns des autres. Ne perdons pas de temps, le vol est dans deux heures ! »

Elle distribue les passeports. Je le regarde, je deviens Patricio Dino et je suis marié à Lisa. C'est parti, à quelques minutes d'intervalle, nous commençons à déambuler. Nous veillons les uns sur les autres en catimini. Passage du premier guichet, contrôle des billets. Tout est parfait. Contrôle des passeports. OK. Passage à la douane, réalisé avec succès. Nous attendons l'embarquement. Dans le hall, le silence est pesant. Je ne sais pas si l'on peut voir mon stress sur mon visage mais je ne suis pas tranquille. L'annonce du départ au micro de l'une des hôtesses me soulage. Nous sommes dans l'avion. Le décollage est imminent. Nous n'avons plus rien à craindre. Dans les airs, je me surprends à rêver de l'Égypte et de l'aventure qui arrive. L'arrivée à l'aéroport international du Caire se fait sans encombre. Après avoir loué une voiture, Lisa nous emmène jusque dans un hôtel à Gizeh. Nous serons plus proches. Nous

nous installons par binôme dans nos chambres respectives. Paolina, de son côté, prend contact avec son ami Ahmed. C'est un archéologue Égyptien, il nous ouvrira les portes du site. Il a toutes les autorisations de fouilles et fera partie du périple. Il est un homme influent dans son Pays. Tout est au point. J'étudie le manuscrit que mon père m'a laissé. Des dessins font état du positionnement des pyramides, de leurs mesures, leurs fonctionnalités et de quelques plans que je ne comprends pas. L'écriture est indéchiffrable. Les trois autres membres de l'expédition mettent au point le planning de demain. La nuit, va être longue et les esprits impatients. Découvrir cet endroit magique, ce qu'il cache et renferme, fait monter la pression. Je suis anxieux et l'inconnu m'effraie un tant soit peu. Ce malgré, l'habitude que j'ai des voyages. J'ai l'intuition que quelque chose de transcendant va se produire. Paolina et Lisa sont les seules à connaître le secret. Elles étaient là lorsque mon père a fait sa découverte mais elles ne savent pas ce qu'il y a derrière ce mystère, seul mon père leur en a fait un récit. Elles n'ont pas pu aller au-delà de la porte. C'est ce qu'elles m'ont dit. Quelle porte ? Je ne sais pas de quoi elles parlent. Lisa a une trentaine d'années, d'un physique plutôt agréable et musclé, elle a pratiqué le Krav Maga, un sport de self défense mêlant plusieurs disciplines et ce pendant près de quinze ans dans les services secrets de l'armée. Cheveux bruns et courts, un joli visage aux traits fins et angéliques, elle n'en est, pas moins une vraie professionnelle du combat. Paolina, elle, est plus féminine, cheveux longs et châtains, elle voue un amour vrai pour les civilisations anciennes. Elle a connu mon père sur les bancs de la faculté de Rome lorsque ce dernier enseignait. Il avait vu en elle un potentiel énorme. Il était donc facile pour lui de lui donner une opportunité d'exceller. Je réfléchis sans cesse et les premiers rayons de soleil apparaissent. Tout le monde s'active et se prépare. C'est parti. Nous nous rendons sur le site archéologique de Gizeh. Ahmed est là. Il nous attend sur le pas de la porte de l'hôtel. Nous marchons d'un pas pressé et montons dans la voiture. La beauté de l'endroit est saisissante. Aucun mot ne peut décrire ce que j'observe. Le silence a pris place. J'ai une sensation de déjà-vu. C'est étrange. Si je ne trouve pas de réponses ici, où pourrais-je les trouver ? Ce lieu captivant peut-il être l'explication ? Le point de départ ? Suis-je prêt à chambouler tout ce en quoi je crois ? Tant de questions qui me passent par la tête. Mon mental prend le dessus et je ne me maîtrise plus.

Paolina finit par stopper mes pensées vagabondes. Elle prend ses marques et fait deux enjambées sur le côté en partant de la première patte du Sphinx. Elle me sourit et me dit « là où il regarde, je ne vais pas ». Elle creuse et aperçoit une pierre, somme toute banale, sur laquelle elle appuie. Elle ouvre ce qui semble être une chambre secrète. C'est là que le manuscrit était enfoui. Elle descend à l'intérieur. Toutes ces pierres racontent l'histoire et le passé. Elle les caresse comme pour marquer un signe de respect quand elle s'arrête sur l'une d'entre elles, gravée d'un soleil. Elle enclenche un mécanisme dans l'excavation. Un bruit lourd et désagréable nous surprend. Paolina nous presse avant que tout ne se referme. Nous la suivons sans chercher à comprendre. Les lampes torches à la main, nous nous enfonçons les uns après les autres dans les entrailles de cet animal majestueux. L'ouverture se referme. Je cherche Pablo du regard et mon air interrogatif interpelle Paolina qui me fait un clin d'œil comme pour me rassurer. De toute façon, j'y suis alors autant continuer. Si on est entré, c'est que l'on peut ressortir. L'épopée continue et nous pénétrons dans ce que j'appellerai le couloir. Il semble interminable. Impossible à mesurer à l'œil nu mais il est sans fin. Les murs sont emplis d'inscription. Je ne peux m'empêcher de les caresser de mes mains comme pour mieux ressentir l'histoire et le vécu. Je prends conscience de l'importance de tout cela. Ahmed m'explique que les gravures ne sont pas de l'Égyptien mais de l'Atlante. Je suis étonné. L'Atlantide n'est qu'une légende. Comment peut-il être sûr de ce qu'il affirme ? Je lui pose la question. Il répond en me traduisant l'un des graphiques : « Les fleurs au vent dispersent le pollen, elles passent aussi par les insectes amis. Elles se reproduisent, poussent et fanent. Elles ne meurent jamais. La nature est maîtresse du monde. Les fleurs, les arbres sont des architectes. Des décideurs. Tout à un sens. Chaque chose, chaque être a un but. L'oublier c'est détruire. Le savoir c'est créer. La vie est un miracle de l'univers. »

Je note précieusement dans mon carnet ces phrases que je trouve sublimes. Elles ne me parlent pas mais elles sonnent à mon oreille. Je prends quelques photos. Lisa me suggère d'avancer et m'explique que le couloir fait une quarantaine de kilomètres de long. La marche risque d'être épuisante pour notre première journée dans les entrailles du Sphinx. Pablo semble râler à l'arrière du groupe faisant ressortir son côté lymphatique. Personne ne fait fi de Pablo le laissant à son grommellement d'ours mal léché. L'équipe avance, l'entrée est loin. J'analyse et photographie tout un tas de hiéroglyphes. Je chemine dans cette allée interminable et une question me hante. Pourquoi Ahmed fait-il référence aux Atlantes ? Je ne comprends pas très bien le rapport entre l'Égypte Antique et L'Atlantide.

Le monde parallèle

C'est notre seconde journée au cœur de notre hôte. La nuit n'a pas été facile. Le sol est dur et donc inconfortable. Je suis excité et je ne suis pas le seul. Paolina indique au groupe que nous allons vivre une journée particulière. Elle n'en dit pas plus mais ses propos ne tranquillisent pas Pablo qui me fait un signe original avec ses sourcils. Nous passons sous une voûte et plusieurs directions s'offrent à nous. Nous sommes arrêtés. Ahmed et Paolina s'entretiennent à voix basse. Le choix à faire les laisse circonspects. Paolina sort un plan qu'elle a dessiné. Ils l'étudient et Ahmed lui chuchote quelques mots à l'oreille. Elle acquiesce et nous repartons. Nous prenons le couloir le plus à droite. Nous longeons une paroi marquée de barres horizontales légèrement décalées. Les pierres semblent même indiquer le chemin à prendre. J'aperçois tout à coup au milieu du corridor un voile transparent. Ça ressemble à un filet d'eau, c'est trouble et ça ondule. Paolina précise qu'il va falloir passer au travers et que c'est le moment d'écarquiller les yeux. Elle s'essaie la première puis c'est au tour d'Ahmed et de Pablo. Je me lance, j'ai l'impression d'être aspiré. Rien n'a changé derrière le rideau. Pourtant, en voulant toucher une pierre, Pablo passe la main au milieu de celle-ci et nous alerte en poussant un cri saillant et plutôt surprenant pour un grand costaud comme lui.

Nous éclatons de rire. Ahmed intervient : « C'est le monde parallèle. L'entre-deux. C'est ce qui va nous relier à eux. Ils ne sont plus là sur terre mais c'est le passage qu'ils ont laissé pour les rejoindre. »

Paolina demande à Pablo de ne pas s'affoler et d'éviter de s'appuyer contre la surface des murs. Pablo insiste et veut savoir ce qu'il y a derrière. Paolina le prend par la main et passe la paroi. J'ai envie d'essayer quand Lisa m'y entraîne. Nous sommes en lévitation dans l'air. C'est un moment léger. Il n'y a rien que de l'air et des toiles qui ondulent. C'est agréable. On ressort comme on est entrés. Nous repartons le pas en cadence et arrivons dans une pièce ovale. Il n'y a pas de coins. Au centre se trouve une statue avec le même symbole que la pierre qu'a activée Paolina à l'extérieur. Le soleil. Elle le presse. Une cloison s'ouvre sur une nouvelle salle. Ça ressemble à une arène en petit format. C'est lumineux. Nous posons nos affaires. Ce sera notre lieu de repos. Autour du repas, Paolina prend la parole et nous indique que le voyage sous le Sphinx est terminé et qu'elle ne connaît pas la suite. Elle s'adresse à moi : « Ton père a fait la suite du périple seul. Avec Lisa, nous n'avons pas été autorisées à entrer. C'est eux qui décident de la suite à donner… »

Elle nous montre la porte du doigt. Elle laisse planer le doute puis reprend : « Tu vas enfin comprendre le travail de ton père. Ça va changer l'humanité. Ça changera à jamais ta vie. Il a fait un travail admirable. Je sais qu'il nous regarde et qu'il est là avec nous. Il fallait un homme comme lui pour nous mettre sur la voie et personne d'autre que lui n'aurait pu réaliser cela ! C'était son chemin et il a su le trouver. »

Je suis nostalgique. Quelque part au fond de moi, je souhaite qu'il nous voie et qu'il pense que je suis digne de lui.

Nous finissons notre gamelle et Ahmed propose que nous buvions un verre à ces deux jours particuliers que nous venons de vivre dans l'antre du Sphinx. Il parle de son pays et de ses richesses, de tout ce que son peuple pourrait faire autour de ces merveilles. De ces vestiges qui dominent sa terre sacrée. De l'Afrique et de tout ce qu'elle représente. Ils nous racontent des légendes et nous finissons par nous endormir au son de ses récits.

La rencontre sacrée

Je m'approche de la porte que nous a montrée Paolina hier. Elle est immense et dorée. Des motifs noirs y sont incrustés. Ils représentent des éléments de la nature tels que : la mer, les volcans, les arbres, les papillons, les nuages et tout un tas d'ornements que je ne peux pas décrire. Un sigle au centre de la porte attire mon attention. Il domine les autres dessins. Il s'agit de deux triangles se touchant par la pointe entourés d'un cercle parfait. Un trait horizontal sépare les deux triangles et ressort du cercle. Tel un sablier qui décompte le temps. Paolina me demande d'appuyer sur le premier triangle puis sur l'autre et me dit : « il faut attendre. »

De longues heures s'écoulent quand la porte finit par s'ouvrir. Derrière elle, un homme apparaît. Sa carrure est imposante. L'insigne des triangles entourés est tatoué sur son front. Sa peau est dorée. Il est vêtu de noir. L'homme s'approche et nous fait signe d'avancer. Une lumière lancinante presque aveuglante est orientée sur nous. L'homme d'or prend la parole et se présente d'une voix grave : « Je suis Idélé, maître guerrier, gardien des passages et protecteur de la grande Prêtresse. Je vous invite à me suivre. »

Nous approuvons d'un mouvement de tête synchronisé et suivons Idélé à la file indienne. Il se dirige vers la lumière. Il s'agit d'un phare en forme d'obélisque. La matière de ce monument ressemble à du verre. C'est transparent mais je ne peux pas voir à l'intérieur. J'aperçois par contre la jointure des briques cristallines montées les unes sur les autres. Un long fil de lumière relie le monolithe au ciel. Comme un fil électrique mais c'est beaucoup plus discret. Cette structure est étrange et se confond avec ce qui l'entoure. Le groupe entre à l'intérieur. Tout est blanc et lumineux. La pièce semble infinie. Je ne vois ni les murs ni le sol. Il y a une porte translucide qu'Idélé ouvre d'un geste furtif, et cela sans même toucher la surface de verre. C'est un ascenseur temporel. Nous montons et notre guide fait défiler des symboles avant d'en sélectionner un. Je remarque un tube entourant à la perfection son index. Je pense qu'il s'agit d'une sorte de téléguidage. Un objet qui communique avec un autre. Je ne connais pas cette technologie et j'observe avec attention les mouvements d'Idélé. Mes amis sont tout autant concentrés que moi. Nous arrivons sur un site dont l'environnement est naturel. Nous empruntons un chemin entouré d'arbres immenses touchant presque le ciel. C'est sublime, boisé et entretenu. Nous poursuivons sur un sentier, méticuleusement architecturé, fait de pierres blanches. Je peux ressentir l'énergie qui se dégage de la nature qui m'entoure. C'est frais, ça sent bon et mon équipe arbore un sourire presque naïf. Le moment que nous vivons est inestimable. Nous atteignons le sommet de la colline et Idélé, d'un geste de la main, nous demande de prendre conscience de l'instant. C'est impressionnant. Derrière cette nature démesurée se trouve une ville fortifiée et futuriste. De grands pylônes opalescents entourent l'acropole. Celle-ci est construite de façon circulaire avec en son centre une pyramide qui domine la ville. Je ne sais pas où nous sommes et à vrai dire, j'ai du mal à comprendre comment nous y sommes arrivés. Ce lieu ne ressemble à rien de ce que je peux connaître. C'est énigmatique. Idélé, toujours dans un mutisme parfait, nous invite à descendre et à rejoindre la cité. Le nom est gravé sur l'arche où nous nous présentons : Atlantea.

Le guide nous oriente vers la pyramide. Elle a un aspect diaphane comme l'obélisque et comme l'obélisque, celle-ci est reliée par un filament à son ciel. Nous entrons. L'accueil est immédiat. Idélé s'incline. Une femme très âgée s'avance. Ses habits sont simples et seule une bague qu'elle porte me fait comprendre qu'elle est de haut rang. Idélé nous recommande de courber la tête, main sur le cœur et la dame intervient : « non, non, ce n'est pas la peine. Je vous en prie. Je suis Râa, Grande Prêtresse du Royaume de l'Atlantide. »

Je n'arrive pas à y croire. L'Atlantide. Je reste béat. Je suis mes amis. Nous nous asseyons dans un lieu épuré et destiné à recevoir. Râa prend la parole et me regarde : « Je sais ce qui t'amène Eluan. Je connais très bien ton père et si je te vois là, sans lui, c'est qu'il n'est plus du monde des humains. J'attendais de pouvoir te rencontrer afin de te raconter notre histoire. Cette histoire qui est aussi la vôtre mais que vous refusez d'accepter et d'entendre depuis des millénaires. »

Elle convie alors sa fille, future Grande Prêtresse à prendre place près de nous. Son visage est doux. Ses grands yeux verts semblent voir la vie d'une façon différente. Une boisson chaude nous est servie et nous sommes encouragés à prendre repos dans nos chambres respectives. Râa est fatiguée. Elle se livrera au moment opportun. De toute façon, j'ai besoin de me remettre de mes émotions. L'équipe est abasourdie et tous, nous rejoignons le lieu qui nous est destiné, sans piper mot.

Croire pour voir

Le passé est le passé, il façonne l'homme. Il doit rester là où il est mais il ne doit pas être caché.

L'assumer c'est décider de construire le présent.

Atlantide

Au lever du soleil, Idélé nous réveille. Il est temps d'écouter ce que Râa a à nous dire. Nous prenons place tous ensemble autour de la Prêtresse.

« Ce que je vais vous raconter vous semblera irréel. Pourtant, je veux que vous sachiez que c'est l'histoire véritable de l'Atlantide et des Atlantes. Les êtres humains pensent que nous ne sommes qu'une légende mais sachez que dans chaque légende, il y a une part d'authenticité. Depuis des siècles, les preuves sont là, sous les yeux des habitants de la planète Terre. Personne ne semble en mesure de les reconnaître ou juste de voir l'évidence. Il semblerait que la mémoire s'efface au fil du temps et que plus aucun souvenir ne soit resté dans les gènes humains. Je sais que vous avez pris des risques pour arriver jusqu'à nous. Ce que vous entendrez, vous serez chargés de le retranscrire auprès des vôtres et je m'adresse particulièrement à toi Eluan. Si vous vous demandez pourquoi jusqu'alors l'histoire n'a jamais été révélée, c'est simplement que vous n'étiez pas prêts. La situation est bien trop grave pour être ignorée. Aujourd'hui, vous êtes arrivés à un point de non-retour et notre devoir et de vous aider à évoluer. Eluan nous t'avons choisi et il y a une bonne raison à cela. Tu es de la descendance de mon fils Ashlem. Tu comprendras au fur et à mesure de ma narration. Lahtania vous montrera les archives documentaires de notre épopée. Vous serez témoins du pire et je l'espère du meilleur. »

Lahtania lance les images en arrière-plan et Râa continue son récit.

« Il y a trente-cinq mille ans, notre civilisation Atlante a connu son plein essor. Tout allait bien jusqu'au jour où nous avons dû chercher un autre monde pour nous abriter. Nous avons trouvé la terre après de nombreuses et tumultueuses explorations. Cette planète contenait tout ce dont nous avions besoin, de l'air pour respirer, de la nourriture pour nous sustenter, de l'eau pour épancher notre soif. Nous avons tenté à maintes reprises de nous rendre sur Terre sans jamais y parvenir. Notre planète était située à des milliards d'années-lumière de votre monde que nous avions baptisé Alpha Cinq. Alpha Cinq avait des montagnes, des arbres, des océans et ressemblait beaucoup à Atalum. Atalum, elle, était grande et prospère. Il y avait différents royaumes. Les grands prêtres et les grandes prêtresses se battaient et menaient de lourdes bataillent pour gagner du terrain et agrandir leur territoire. Chacun exploitait les ressources au maximum, plus nous avions et plus nous voulions avoir et posséder. Nos technologies étaient puissantes et par la force des choses nous avons fini par détruire le cœur d'Atalum. Ses noyaux ont cessé de tourner et nous n'avions que peu de temps pour réagir à la mort imminente d'Atalum. Une partie de la population s'est réunie, sentant la catastrophe arriver et a travaillé sur un moyen de rejoindre la Terre, Alpha cinq. Elle a réussi. L'autre partie pensant qu'il était impossible qu'Atalum se meure a été désintégrée avec elle. C'est ainsi que Gaïa est devenue notre sol d'accueil. Mais bien avant cela, nous communiquions déjà avec les peuples indigènes de votre planète. La terre n'a pas été choisie par hasard. Nos affinités avec les autochtones nous ont appris l'humilité et l'amour de la nature. Nous avons donc pris place sur une île vierge et inhabitée. Cette île a été baptisée Atlantide et s'étendait de l'océan pacifique nord à l'océan pacifique sud. Elle était un continent à elle seule et sa surface était suffisante pour nous accueillir. Nous avions prévu de recommencer dans de meilleures conditions que sur la planète Atalum. Nous avons désigné une Grande Prêtresse et avons uni toutes les croyances pour n'en faire qu'une : la loi de un. Cela a été un travail de longue haleine mais nous avions envie d'une vie meilleure et plus sereine. Ainsi, deux cent trente mille Atlantes survivants ont pris place et ont pris part à la construction de ce nouvel empire. La terre était riche de tout, tout était disponible. Nous avons utilisé les richesses et l'énergie que nous trouvions. Le cristal, comme sur Atalum, était présent en masse sur la planète bleue. Ressource indispensable pour le peuple Atlante. Le cristal capte l'énergie du soleil, nous permet de la stocker et de la transformer en électricité par un procédé relativement simple. Tout comme vous utilisez les panneaux solaires aujourd'hui. Les travaux d'installation ont duré de longues années. Une fois les villes bâties, la Grande Prêtresse Râani a souhaité que nous trouvions l'éveil spirituel. Elle travaillait sur la relation que les Atlantes devaient entretenir avec la nature pour ne plus la fragiliser. Elle s'efforçait d'entretenir une relation avec le divin. Elle recueillait tous les messages qui lui étaient envoyés. Râani était mon ancêtre. La faculté de guider se transmet de génération en génération. Il y a un long chemin à réaliser avant de devenir Grand Prêtre ou Grande Prêtresse. Comme seule, ma lignée avait survécu, il paraissait évident qu'il fallait unir les nôtres. Râani voulait une union sacrée de son peuple. Chaque Atlante avait sa propre destinée et son chemin à suivre. Nos années de vies étaient plus importantes que celle des êtres humains. Nous vivions entre deux et trois mille ans et nous mourrions, sauf accident, quand nous avions décidé de mourir.

Les Atlantes savent quand ils doivent partir et rendent à la terre ce qui lui appartient au moment opportun. L'être Atlante naît androgyne et choisit son sexe à l'âge adulte de par ses affinités et lors d'un rite de passage. Nous avons des pouvoirs sur la vie et la liberté de nos choix. C'est toujours le cas aujourd'hui. Nous étions l'excellence de l'évolution, du moins c'est ce que l'on croyait mais nous avions aussi nos travers… Nos serviteurs étaient des êtres[1] avec un corps humain et une tête animale. Ils vivaient sur Atalum et nous les avons domestiqués. Ils étaient nos animaux de compagnie et servaient à toutes les tâches ménagères et domestiques. Râani après une retraite de plusieurs années et une longue conversation avec les forces supérieures a alors écrit « le livre de l'esprit » ainsi que « le principe de un ». Des mots et des écrits de paix et de foi. Ces textes étaient un contrat entre chaque individu Atlante. Ils devaient nous guider et nous offrir paix et sérénité. »

---

[1] Edgar Cayce dans ses lectures cite « les choses » comme étant les serviteurs des Atlantes.

Le livre de l'esprit et le principe de un

Lahtania me tend le livre de l'esprit et me regarde en me faisant comprendre que ce que j'ai entre les mains est un écrit précieux, vieux de plus de quinze mille ans. Râa continue son discours.

« Râani a mis plus de deux cents ans à recueillir les messages qui lui ont été communiqués. Le livre de l'esprit est un recueil de pensées collectées instinctivement. Qu'est-ce que ça signifie ? Que ces messages ne sont pas passés par le mental, sont livrés purs par les puissances supérieures et ont été reportés de la même façon, c'est-à-dire, sans être retouchés. Je vous invite à le lire au calme et à peser les mots sans forcément chercher à tout comprendre. Ces messages vous parleront même si vous ne croyez en rien.

« Le principe de un » est un art de vivre. C'est un devoir pour chacun mais pas une obligation. Cette règle de vie prône l'unicité de tout : l'être, la terre, l'univers, la nature, le végétal, l'animal… Tout ce que vous regardez est miracle et tout est relié. Ce lien est, ce que l'on appelle le cordon d'Ys. Ys signifie énergie en Atlante. Qu'est-ce que l'énergie ? C'est tout ce qui nous entoure, que l'on ne voit pas et que l'on ne peut pas toucher mais que l'on peut ressentir plus ou moins intensément suivant les individus. L'impalpable en quelque sorte. Le cordon d'Ys est le cordon ombilical qui raccorde l'univers aux différents mondes, aux planètes, à la terre, aux êtres, aux animaux, aux végétaux… C'est un réseau comme des fils électriques qui relie l'univers tout entier. Nous ne sommes qu'un. Ce qui fait de chaque être, chaque plante, chaque animal, chaque planète, un être sacré et connecté jusqu'au fin fond du cosmos. Lorsqu'un fil casse, la toile change de forme mais l'énergie est toujours présente car l'araignée tisse un nouveau fil. Voici donc le principe de un tel qu'écrit par Râani :

- « Terres, univers, lunes, soleils, êtres, animaux, végétaux jusqu'à la plus petite particule existante, nous sommes les maillons de la chaîne d'énergie de l'univers. Tout est sacré, tout est unique, tout est parfait tel que cela est. Il n'y a rien à changer. Il faut accepter. Les êtres entre eux sont en corrélation. Chaque rencontre apporte et fait grandir. Chaque graine semée fera pousser une plante. Chaque Terre, chaque être, chaque animal, chaque végétal doit être respecté car tout est œuvre de l'univers et tout est sacré. Chacun de nous est le fruit d'une coordination parfaite. La loi de l'univers c'est l'ensemble de tout ce qui existe. »

Pour les Atlantes, Dieu est un tout, il n'est pas une personne, il est tout ce qui est c'est-à-dire Univers. C'est l'infiniment grand et l'infiniment petit. C'est un macrocosme qui contient des microcosmes. Nous avons commencé à vivre en paix grâce à cette pratique spirituelle. Respectueux de tout et de tous. Ainsi guidés par le divin, nous étions enfin en éveil et en harmonie avec nous-mêmes. Nous avons vécu et poursuivi notre route pendant de longs millénaires, et ce sans anicroche ou conflit. »

Le questionnement

J'ai quand même quelques questions à poser à la Grande Prêtresse Râa. Avec sa permission, je me lance et ose :

— Quels sont les vestiges que vous avez laissés sur terre et quels peuples avez-vous côtoyés ?

« J'allais y venir, vous êtes impatient. Partout sur le monde dans lequel vous vivez, notre civilisation a enseigné son savoir. Chacune des pyramides que vous connaissez et celles que vous n'avez pas encore trouvées sont une trace Atlante. La cité de Teotihuacán, les crânes de cristal, les Moaï, les lignes de Nazca, les sphères de granit, l'œuvre des anciens, Stonehenge, les pyramides d'Égypte, le Sphinx… Je pourrais en énumérer encore et vous dire que ce qui est visible sur le sol de la terre n'est rien comparé à ce qu'il y a sous les eaux. Quand vous, j'entends par là les êtres humains, pourrez descendre tout au fond des profondeurs des mers, vous comprendrez d'où vous venez et qui vous êtes. À l'heure actuelle, vous vous pensez touts puissants, maîtrisant tout ou presque mais la réalité c'est que vous ne contrôlez rien. Vous êtes petits dans l'infini. Votre peuple est comme le mien, il apprend et il apprendra de ses erreurs. Sauf que vous n'avez plus de temps et que votre technologie est moins avancée que la nôtre. Il y a un tournant à prendre. Votre ego vous aveugle. Je sais que les révélations que je vous fais vous aideront comme elles ont aidé les peuples Mayas, Indigènes, Aborigènes et les Indiens d'Amérique à une autre période… Vous auriez beaucoup à comprendre de ces peuples. Ceux que vous avez chassés de leur terre sont vos ancêtres. Ils ont la science de l'esprit et de la nature, une intelligence spontanée, intuitive et instinctive. Ils savent qu'ils sont un tout au milieu de l'immensité. Ils savent aussi qu'ils ne sont rien au milieu de ce tout. Ils sont une richesse pour vous, nouveau venu. Ces hommes sont vos pères et vos mères, tout comme les Atlantes le sont. Et qu'est-ce que vous avez fait de tout ça ? Observez le désastre ! L'ordre des choses doit être rétabli.

Nous, peuple Atlante, rendions visite à tous les êtres voisins. Nous leur apprenions les mathématiques, l'univers, l'écriture et en retour, ils nous inculquaient la nature, la prière et l'amour. La terre ne vous appartient pas, vous lui appartenez et les peuples ancestraux le savent. La terre n'est pas à vous, vous êtes à elle ! »

Un point m'interpelle et je continue mon interrogatoire :

— Vous affirmez avoir été en contact avec les peuples ancestraux. Cela signifie que les Aborigènes et les Indiens d'Amérique sont au courant de votre existence ?

« Quand ces peuples parlent de gens venus d'ailleurs dans des engins spatiaux, les écoutez-vous ? Pourquoi auraient-ils continué à parler à des gens aveugles et sourds ? Ces personnes sont riches et ont le savoir. Vous êtes des ignorants et je suis désolée de vous l'apprendre. Allez voir un Indien d'Amérique dans une des pauvres réserves qu'on lui a attribuée et demandez-lui s'il a peur des gens qui descendent du ciel. Demandez-lui s'il est toujours en contact avec eux… La réponse vous surprendra. Nous avons une relation de confiance avec ces peuples magnifiques. »

C'est vrai que j'ai entendu et lu quelque part que les peuples anciens étaient en contact régulier avec ceux venus du ciel. Peut-être que l'information n'a pas voulu rester dans mon crâne. Est-ce le fait d'être trop terre à terre ?

Râa me coupe dans ma réflexion et continue :

« Vous avez volé leur terre à toujours vouloir plus. À vouloir posséder. Ces anciens, d'une infinie sagesse, avaient une place importante. Ils sont des êtres évolués pas des primitifs comme vous avez bien pu le prétendre. Ils auraient pu vous guider. Au lieu de ça, les blancs se sont pensés plus intelligents, prenant les terres d'indigènes, menant de nombreuses guerres de territoire, réduisant les noirs à l'esclavage pour une couleur de peau. Est-ce là le signe d'une intelligence quelconque ? L'intelligence n'appartient pas à celui qui la clame, elle est à celui qui se tait et acquiesce. Elle n'appartient pas à celui qui se pavane mais à celui qui reste humble et se cache. Je suis triste, vous savez. Mon cœur est affligé et chaque Atlante ici est affecté par vos actions hasardeuses et maladroites, par vos actes de barbarie. Il est temps de vous reprendre car vos mauvaises initiatives continuent et le négatif se répand. Si nous sommes tant touchés c'est qu'il y a une raison à cela et vous le comprendrez à la suite de mon récit. Vous comprendrez, je l'espère, d'où vous venez. »

Râa coupe court à mon questionnement. Elle semble trop touchée pour continuer et agacée par le comportement des êtres humains. Je me sens absurde et je ne peux pas le cacher, je suis troublé par ce que j'ai entendu.

Le règne de Râa

« Vinrent mes années de règnes sur l'Atlantide. Ma mère Râama était une très grande prêtresse et m'a tout enseigné. Mon père était un bâtisseur. De leur amour, deux enfants sont nés. Kaatchi et moi-même. Nous avons été élevés dans des règles strictes mais essentielles. Nous avons étudié pendant de longues années puis nous avons atteint l'éveil spirituel. Nous sommes parvenus à la maturité d'esprit et nos corps s'étaient transformés. Kaatchi avait l'esprit masculin et je me sentais en accord avec la pensée féminine. La cérémonie des esprits devait faire de moi la successeuse de ma mère. Seules, les femmes étaient à même de prendre ce rôle. Les catastrophes d'Atalum ayant laissé des traces. Les hommes avaient des dispositions de guerriers et nous ne pouvions plus laisser la place à cela. Nous ne voulions plus de guerre. Une mère ne pouvait pas mener ses enfants au combat. Le rôle d'un Atlante mâle était donc celui de conseiller. Rôle très important dans la hiérarchie. Puis, nous avions le choix de notre sexe alors aucune discrimination. Kaatchi était mon bras droit. La cérémonie des esprits a donc eu lieu en présence de tout le peuple Atlante. J'étais jeune mais ma mère allait m'épauler quelques années. La fête a été grande et belle. Tout le monde était heureux, nous avons dansé, prié. Puis, je me suis engagée de vive voix et me suis faite tatouer l'emblème de mon peuple.

Tout cela a duré plusieurs lunes. Cette cérémonie sacrée m'a permis de rencontrer Pilea. Un homme magnifique dont je suis tombée éperdument amoureuse. Par le cours naturel des choses, je finis par donner naissance à trois enfants. Ashlem et Bialéïl, des jumeaux puis vint l'ange Lahtania. Mes enfants ne sont pas nés androgynes comme nous. Ils sont nés avec un sexe prédéfini. Ce fut le début du changement. Nous vivions sur la terre. Est-ce que cela nous a transformés ? C'est ce que les sages pensaient. J'ai tenu à éduquer ma progéniture comme je l'avais été. Ils ont grandi et ont été instruits avec les valeurs Atlantes. Ils étaient bons et forts. Ils étaient ma fierté et je n'ai décelé en eux aucun signe d'un ego surdimensionné. En réalité, nous devenions peu à peu des Terriens et nous avions bon espoir que tout cela serait positif pour nous. Mes enfants ont grandi et leurs caractères se sont dessinés. Lahtania était douce et rêveuse. Bialéïl était rusé et bon. Ashlem avait les yeux grands ouverts sur la vie. Il aimait les plaisirs et il cédait à la tentation dès qu'il le pouvait. Il connut de nombreuses femmes jusqu'à ce qu'il rencontre Lia. Ces deux-là étaient fous amoureux et avaient prévu de s'unir. L'union pour les Atlantes n'est pas un mariage comme pour les humains. C'est une célébration spirituelle qui raccorde deux êtres qui se sont trouvés. Lia a surpris Ashlem dans les bras d'une autre femme et en a tellement souffert qu'elle a fini par se donner la mort. Les Atlantes n'avaient pas ce genre d'attachement ni ce type de comportement. Pour nous l'amour était amour et dans la difficulté nous trouvions des solutions harmonieuses. Nous ne connaissions pas la jalousie, l'infidélité ou encore la possession de l'autre. C'était nouveau. Ashlem n'a pas pu supporter la mort de Lia. Il est devenu triste et agressif, et ce malgré le rapport qu'il avait avec le monde des esprits. Il a continué de séduire et est devenu excessif dans tout. Son ego avait pris une place énorme. Il n'y en avait que pour lui. J'ai essayé de l'aider comme je le pouvais. Chaque membre de sa famille lui a tendu la main. Il se calmait quelques heures mais sa souffrance était telle qu'il retombait dans ses travers. Il devenait jaloux de son frère. Il haïssait Lahtania parce qu'elle devait me succéder. Ces sentiments extrêmes m'ont replongée dans l'enfer d'Atalum. Je retrouvais en Ashlem la violence que les ancêtres m'avaient contée. Il usait de tout et tout le temps. Sur ordre du conseil Atlante, Ashlem dut quitter l'île d'Atlantide. Il avait été exclu de notre communauté et ma douleur a été immense. Je perdais mon fils, ma chair. J'ai voulu parler à Ashlem avant son départ mais il s'est enfui sans un regard, ni même un mot. Notre vie tranquille a continué et nous pensions que nous ne reverrions pas Ashlem. Nous sommes retournés à notre petite vie paisible et conventionnelle. Nous ne nous sommes pas souciés du mal que nous venions de réaliser. Le rejet et l'abandon sont des blessures infligées lorsque l'on ne trouve pas la solution. Nous aurions dû traiter le mal à la source. Au lieu de cela, nous avons tourné le dos à une âme souffrante. Nous avons créé une bombe à retardement. Nous n'étions alors qu'au début de notre cheminement spirituel. Les erreurs en font partie. »

L'homme est son propre ennemi

« Ashlem a voyagé. Il a connu tous les abus : l'alcool, les drogues, les femmes. Sa vie était comme ça, faite d'exagérations en tout genre. Plus il souffrait et plus il se complaisait dans la souffrance. Sa violence montait en puissance. Il hurlait chaque nuit de désespoir tel un loup hurlant à la lune et chaque cri ne faisait qu'augmenter sa haine de lui-même et de la vie qu'il menait. Il est tombé dans le côté sombre. Il n'a pas su tirer les conséquences de ses actes. Il n'a pas compris que Lia avait mis fin à ses jours par amour pour lui. Il pensait qu'elle l'avait abandonné tout comme nous l'avions fait. Il regrettait ses gestes au plus profond de sa chair et se maudissait pour cela. Un homme qui répand le bien peut convertir beaucoup d'autres hommes à en faire mais un homme plein d'animosité peut aussi pousser d'autres hommes à devenir comme lui. Il était devenu son propre ennemi et le temps ne l'a pas calmé comme on l'avait espéré. Il a réussi à monter un groupe de guerrier. Avec cette troupe, il a construit un village. Petit à petit, le village est devenu un bourg puis une ville. Ils ont trouvé des femmes, ont fait des enfants pour être sûrs d'avoir une lignée. C'était l'endroit de tous les abus. Tous les hommes se sentaient forts les uns avec les autres mais ils étaient faibles hors de ce contexte. Leur armement était lourd. Ashlem connaissait nos technologies et n'a pas eu de mal à les reproduire. Les différents peuples de la planète Terre s'inquiétaient et ne voulaient pas laisser cette brutalité se propager. J'avais confiance en mon fils, j'ai cru qu'il se ressaisirait une fois la colère et la peine passées. Ashlem est revenu sur l'île d'Atlantide. Il disait qu'il était venu en paix. Ses compagnons de route étaient avec lui. Il m'a convaincue et je n'aurais pas dû croire en lui. Les déboires ont commencé. Il était venu chercher la guerre et le sang de son peuple. Son propre peuple. Sa vengeance était en cours. »

Râa s'arrête un instant, essayant de camoufler sa peine et reprend.

« Il a commencé à tuer, à harceler, à torturer. Ashlem et ses troupes s'en sont pris aux Atlantes. Ils pillaient les maisons et les forçaient à les rejoindre sous la menace d'assassiner femme et enfants. Nous étions devenus un peuple de paix et pour sauver leur famille les hommes rejoignaient mon fils. Quand nous avons découvert ce qui se tramait, notre contingent de protection est intervenu et le conflit a éclaté. La guerre en Atlantide a fait rage et a pris une ampleur considérable. Le problème d'une telle guerre ce sont les armes redoutables que nous possédions, et ce, dans les deux camps. Les progrès technologiques étaient allés trop loin. Nous aurions dû trouver d'autres solutions que l'artillerie de pointe. Au lieu de cela, nous avons préféré continuer à montrer notre puissance. Une contradiction pour un peuple pacifique. Avoir de quoi gagner une guerre aurait suffi mais l'ego veut toujours plus. Nous voulions de quoi gagner une guerre, de quoi raser une ville voire un pays, de quoi détruire la nature qui nous entoure, de quoi souffler un continent et bien plus, la planète pourquoi pas... Ça, c'était le signe que nous avions un grand Empire ! Tout cela, nous y avons pensé trop tard. Nous étions persuadés que rien ne perturberait la quiétude des Atlantes. Posséder est un problème, avoir et cumuler aussi. Ce n'est pas un avantage mais un inconvénient. C'est un aléa que les terriens connaissent bien. Être, voilà la vraie valeur de l'âme. La vie fait oublier l'essentiel. Enfant, nous naissons purs puis l'on grandit et l'on se forge un caractère. On en omet le cœur sous prétexte que l'on ne veut pas souffrir mais mieux vaut souffrir et être vivant que de devenir une moitié d'homme à demi conscient…

L'homme est coincé dans une sorte de spirale infernale. Il voit toujours les deux côtés de la médaille. Le bon côté et le mauvais côté. Par exemple, le bien et le mal. Le noir et le blanc. La richesse et la pauvreté. L'amour et la haine. La vie et la mort. Les qualités et les défauts… Pourquoi l'homme fait-il cela ? Parce qu'il a un besoin fou de se comparer aux autres. Ce que je fais est bien, ce qu'il fait est mal… Je suis bon, il est mauvais. Cela s'appelle l'Ego. Et l'homme est formaté à cela depuis son plus jeune âge. À partir du moment où l'on accepte ce que l'on est, que l'on s'aime tel que l'on est, il n'y a plus de comparaison possible. Comme je l'ai dit, chacun de nous est unique et sacré. Le fait d'entrer en conflit avec les autres ou en concurrence fait que l'on entre en conflit avec soi-même. Cela s'appelle la non-réalisation de l'être. Un être qui n'est pas sur le bon chemin est un être frustré. La frustration créée des maux. Ces maux créent des émotions négatives telles la colère, la violence, la haine, la jalousie… Ce qu'il faut apprendre et comprendre dès l'enfance c'est que chacun à sa place et que la réussite n'est qu'illusoire. Le fait d'être en osmose avec soi-même fera que l'on se réjouira pour les autres. C'est ainsi qu'il faut avancer. C'est ainsi que l'on peut trouver la paix intérieure et le bonheur.

En réalité, le bien et le mal, l'amour et la haine, la vie et la mort et tout ce qui s'oppose n'existent pas. C'est une pure création de l'homme pour maîtriser le monde. Rien ne sera jamais parfait. Ce qui peut rendre une chose parfaite, c'est la vision que l'on apporte à cette chose. Si l'on s'obstine à voir les défauts plutôt que ce petit rien positif alors il va sans dire que la direction est mauvaise. Tout ce qui peut arriver est une leçon de vie qui permet de grandir. Le voir autrement et s'apitoyer sur son sort ne fait que déployer de l'énergie négative. Qui dit énergie négative, dit émotions néfastes pour le corps et pour l'esprit et ainsi de suite… L'homme est profondément bon. Il accumule en lui ce qu'on lui rabâche. Le cerveau est programmé dès le plus jeune âge. Si on le programme mal, il va être défectueux. Cela n'est pas sans retour, car le cerveau peut se reprogrammer à tout moment. Une fois que cela est maîtrisé, il faut faire en sorte d'épanouir l'être tel qu'il est. Sans ça, rien ne sera jamais en harmonie. »

Les lois de la nature

Comment l'île d'Atlantide a-t-elle été détruite ?

« Dans le feu de l'action, certains systèmes de guerre qui ont été déclenchés, ont créés des tremblements de terre dont l'un d'entre eux avait une magnitude de douze points sept sur l'échelle Atlante. Sur l'île, la panique a envahi les habitants. Avec nos armes de destruction massive, nous venions de toucher à la nature et les lois de la nature, comme vous le savez, sont sans pitié. Nous avions retourné et pollué le cœur de l'Atlantide. Le retour a été immédiat. Plusieurs cataclysmes se sont produits. Un premier séisme a été ressenti mais n'était pas intense. Dans la nuit, un autre plus violent a commencé à faire s'écrouler quelques-unes de nos bâtisses. Au lever du soleil, le troisième séisme a été foudroyant. Un tsunami s'est créé au large des côtes. Une vague de plus de quarante mètres de haut s'est formée et a rasé une partie des terres. Ce que l'on ignorait c'est qu'une seconde vague, plus haute que la première, s'était formée. Les scientifiques ont pu la déceler à temps. Nous avons donc mis hors de danger les survivants de ces catastrophes. Cette deuxième vague a englouti l'île. C'était terminé. Notre île avait sombré en quelques heures. Il ne restait plus rien. Nous avons fui à divers endroits de la planète. Nous nous sommes dispersés.

Certains Atlantes sont allés vers les pays d'Europe comme la France et l'Espagne. D'autres sont allés vers l'Amérique du Sud. La majeure partie des Atlantes a été accueillie en Égypte. Ce fut mon cas avec Lahtania. Bialéïl manquait à l'appel et ce n'est que plus tard souffrant et blessé, qu'il nous a rejoints. Accompagné de son serviteur Anubis et d'une cinquantaine d'Atlantes. Il a été pris en pleine bataille quand les cataclysmes ont été provoqués. Anubis a sauvé la famille de Bialéïl et de nombreuses autres familles. Les serviteurs ont attiré l'attention des Égyptiens qui ont, petit à petit, commencé à se prosterner devant eux. Je n'avais pas compris sur le moment mais les Égyptiens avaient des Dieux avec une tête animale et j'ai saisi pourquoi ils vénéraient nos domestiques. Anubis était pour eux le Dieu de l'embaumement. C'est alors que ce dernier me donna quelques explications. Tout comme nous, Atlantes, ils avaient perdu leur planète et tout comme nous, ils avaient des technologies ultras sophistiquées. Et comme nous, ils ont fini par tout détruire. Au lieu de reconstruire comme nous l'avons fait, ils ont fait don d'eux-mêmes. Maintes fois, ils avaient visité la terre et avaient été en contact avec de nombreuses civilisations. Ils ont choisi de nous aider avec beaucoup d'humilité parce que nous leur ressemblions. Ils étaient là en Égypte et passaient de valets à Dieux vivants. Je ne pouvais qu'admirer ce choix. Ils veillaient sur nous et nous les traitions comme des êtres étranges et hors normes. C'était bien là l'esprit des Atlantes. Nous n'avions pas guéri l'essentiel, notre ego. Nos serviteurs étaient des Sermines de la planète Sermès.

Bialéïl, lui, a été pris en charge par plusieurs femmes égyptiennes inquiètent pour son sort. Elles avaient raison. Il était gravement blessé et les plaies étaient profondes. Nos techniques de médecine, bien que développées, n'ont pas suffi à le guérir.

J'ai dû l'accepter. Mon fils allait mourir. Il luttait. Ashlem avait appris que son frère était mal en point. Il est venu jusqu'en Égypte. Il a demandé pardon à Bialéïl et lui a fait la promesse d'être un homme juste et bon. Bialéïl a pardonné puis il s'est laissé aller à la mort. Il avait cette grandeur d'âme qui lui permettait de transformer les autres, rien que par sa présence. C'est cela, l'amour universel. Il m'a fallu des années pour être clémente envers Ashlem. Ce dernier est pourtant resté en Égypte et il a participé à la reconstruction de la civilisation Atlante. La générosité des Égyptiens nous a permis de ne manquer de rien.

Ce qu'il faut retenir de tout cela, c'est que la nature est maîtresse de toute vie. Elle prend si elle doit reprendre. Elle offre. Elle se rebelle et se rebellera à toute erreur ou imposture. Elle est toute puissante et, nous ne sommes face à elle, que des grains de sable. Nous faisons partie d'elle et si l'équilibre n'est plus respecté, elle saura se débarrasser de ses bactéries comme le fait le corps humain quand il lutte contre une maladie. C'est son système immunitaire qui réagit. Si nous l'offensons, il faut assumer les conséquences que cela pourrait avoir et c'est aux êtres humains que je m'adresse… »

Reconstruire dans l'agir

Recommencer n'est pas le vrai. Aucun être ne renouvelle sa vie. Il la continue avec ses échecs et ses victoires. Il apprend de ses erreurs et s'améliore.

Apporter une note en harmonie avec une autre note, à sa musique, rend le résultat audible et agréable. La vie devient symphonie. Tout est dans l'état d'esprit.

Les années en Égypte

« Tout cela m'a donné à réfléchir. Qu'aurions-nous pu faire pour aider les peuples de la terre ? Et puis, j'ai compris, et ce grâce à Anubis. La meilleure façon d'être et d'exister était d'apporter notre savoir aux autres. De donner de l'amour et un sens. Nous avons donc fait don de nos connaissances à travers le monde. Pourquoi me diriez-vous ? Parce que l'amour que nous portons à l'être humain nous obligeait à lui inculquer ce que nous savions pour l'aider à progresser et peut-être même pour l'aider à ne pas commettre les mêmes erreurs que nous. Il fallait laisser sur cette planète les vestiges de notre civilisation mais surtout des messages. C'est ainsi que nous avons commencé à donner un sens nouveau à notre présence sur terre. Nous avons entrepris la construction de la grande pyramide et du site de Gizeh. Ici serait caché le premier manuscrit. Le Sphinx veillerait sur lui. Nous n'avons pas construit ce site pour en faire des tombeaux ouverts contrairement à ce qu'il est dit sur votre monde. Il s'agissait d'une académie où nous enseignions les sciences. Si vous prenez les mesures de Khéops, vous vous rendrez compte que toutes les mesures de la terre et de l'univers sont contenues dans sa forme. Pi existait déjà à notre époque. Vous n'en êtes pas les créateurs. La grande pyramide, si vous l'étudiez correctement, est révélatrice de secrets. L'espèce humaine semble encore trop jeune pour les déceler ou peut-être ne souhaite-t-elle pas les voir ? Je vais vous parler de l'être Edgar Cayce[2]. Je suppose que son nom ne vous dit rien. Pourtant, ce grand bonhomme faisait des révélations pendant ce qu'il appelait des lectures. Il entrait dans une sorte d'état d'hypnose et parcourait l'Akasha, une bibliothèque géante, salle des secrets de l'univers. Nous lui avons ouvert ce monde parce qu'il était disposé à en connaître les aboutissants. Je vous invite à vous renseigner sur cet homme. D'ailleurs, il pourrait être votre point de départ lorsque vous devrez révéler la véritable histoire de la terre.

Croyez-vous vos scientifiques lorsqu'ils expliquent que pour édifier la pyramide, les Égyptiens ont déplacé des blocs de pierre sur des rondins de bois ou je ne sais quelles autres théories et suppositions qui réduiraient vos ancêtres à une espèce moins intelligente que la vôtre ? Tout cela est une vaste plaisanterie. La vérité c'est que vos érudits n'ont pas la réponse et ils préfèrent les hypothèses fausses à l'inconnue. Parce qu'ils pourraient dire qu'ils ne comprennent pas mais ils se taisent et supputent. Le pire c'est que la majorité des êtres humains de la planète croient en ces pseudo-thèses et que cela ne fait pas avancer l'histoire de votre peuple. Il va falloir réussir à faire accepter l'idée que vos descendants étaient des êtres plus ingénieux, cela en toute humilité, et qu'ils n'étaient pas des êtres de Cro-Magnon ou des êtres primitifs. Votre datation ne tient pas la route. Les preuves sont sous votre nez et l'évidence avec mais je ne sais pour quelle raison, on vous cache la vérité.

Alors comment a été construit le site de Gizeh ? Voilà les réponses. Ce site a été érigé avec des terminologies poussées et

---

[2] Edgar Cayce – La grande pyramide et l'Atlantide de Dorothée Koechlin de Bizemont – Éditions du rocher - 1990.

nous avons utilisé les airs. Les pyramides élevées partout dans le monde étaient reliées pour produire notre électricité. Un peu comme vos centrales nucléaires mais a contrario elles n'étaient ni dangereuses ni polluantes. Les pierres ont été taillées et affinées grâce au cristal par nos sculpteurs. Le site est un pur chef-d'œuvre, c'est l'excellence et c'est ce que nous avons voulu créer. Cet ouvrage a été réalisé dans le respect de la nature et se marie même avec elle. C'est le summum de l'art Atlante. Le but était de laisser une trace qui montre la grandeur d'esprit qui occupait la terre à ce moment-là. Je parle des différents peuples. Nous voulions que les générations à venir voient la richesse spirituelle des populations anciennes. Il fallait des bâtisses solides qui résistent au temps et aux tempêtes. Les sages de ce monde se réunissaient dans ces lieux. Des écoles ont été ouvertes, le savoir a été partagé et l'esprit a pu prendre une place de premier ordre. Il a atteint la perfection. Tout cet héritage a été laissé pour que l'humain n'oublie pas ses origines. Afin que vous ne soyez pas pris de folies et afin que la paix, l'amour et l'esprit soient des éléments moteurs de vos vies. Je constate que tout cela a été omis. Il y a des différences dans votre monde qui n'existaient pas quand nous y habitions. Les noirs, les blancs, les rouges, les jaunes... Des couleurs de peaux qui égayent la planète Terre mais qui vous dérangent. Des divergences sexuelles qui ont toujours existées, et ce depuis la nuit des temps mais qui mettent mal à l'aise. Les femmes opprimées et maltraitées qui étaient des maîtres, des philosophes, des scientifiques à mon époque. Des noirs esclaves, des Amérindiens kidnappés pour recevoir une éducation religieuse ou tués et expulsés de leur terre pour le profit, je pense à l'Amazonie. Où est passé votre esprit, votre conscience ? Quel est ce monde qui régresse ?

Sachez que vos couleurs de peaux sont le fruit de l'amour entre plusieurs civilisations. Vous êtes Atlantes. Vous êtes Sermines, Mayas, Amérindiens. Vous êtes Aborigènes. Vous venez de Mu et de toutes les planètes et de tous les peuples lointains qui ont posé le pied sur cette terre que vous chérissez si peu. Vous êtes le mélange de civilisations avancées. Vous avez en vous toutes ces richesses culturelles. La seule et unique vérité c'est que vous ne faites qu'un, les uns avec les autres. Vous êtes frères et sœurs. Peu importe la couleur de peau ou votre pseudo-origine terrienne. Quand vous tuez ou brimez un être vivant, vous attaquez vos origines premières. Comment en êtes-vous arrivés là ? En instaurant des doctrines, des règles inhumaines pour gagner du pouvoir, être plus forts que les autres et diriger. À cet instant précis, je vous demande de retirer vos barrières, d'ouvrir grands les yeux, de respirer et de sentir le frisson qui vous parcourt le corps. Vous êtes la lumière, le un, l'infini. Voilà, ce que le monde ancien inculquait et ce que l'Égypte était. »

Les vestiges et les traces

« Venons-en au fait : les vestiges. Je ne vais pas épiloguer des heures et décrire tout ce que nous avons laissé. Dîtes-vous juste une chose, tout ce que vous ne pouvez pas expliquer est le travail des peuples venus d'ailleurs. L'œuvre des extraterrestres si je peux me permettre de le dire ainsi car c'est un terme que je trouve péjoratif. Les terriens ont en tête des petits bonhommes verts avec un visage difforme et une mentalité agressive. Ce n'est pas le cas. Vous n'êtes pas tout à fait terriens vous-mêmes. Ces traces laissées auraient dû vous parler et réactiver votre mémoire ancestrale. Je viens de vous expliquer Gizeh alors parlons plutôt du site de Teotihuacán. Il avait un fonctionnement identique à celui de Gizeh. C'était un lieu de rencontres, d'échanges et d'enseignements. On y inculquait l'astronomie, l'astrophysique et la science de l'esprit. Des conférences avaient lieu à cet endroit et les allées et venues étaient interplanétaires, d'où la grandeur du site. C'était une ville entière dédiée au savoir. En touchant certaines pierres de ce lieu magique, vous pourrez avoir des visions du passé. Un deuxième manuscrit est dissimulé à cet emplacement.

Si nous nous tournons vers l'Angleterre, vous pouvez apercevoir Stonehenge qui n'est pour vos scientifiques qu'un lieu de sépulture. Vous constaterez que l'on vous a dit la même chose de Gizeh. Il s'agissait en réalité d'un observatoire mais pas seulement. Ce site n'est pas une pure coïncidence, réalisé à l'aveugle. On examinait, ici, les phénomènes astronomiques comme les solstices, les équinoxes, les levers de soleil, les couchers de lune ou encore le cycle des éclipses lunaires. Nous vous avons tout enseigné. Ce n'est pas fini, sur toutes les planètes dites habitables vous trouverez un endroit comme Stonehenge. Il aiguille et situe comme une grosse horloge. Stonehenge servait de passage tout comme la porte que vous avez empruntée sous le Sphinx. Il s'agit d'un véhicule qui permet de passer d'une planète à l'autre et de s'interconnecter. Ce véhicule ne vole pas. C'est une porte qui transporte et qui permet d'aller et venir d'une planète à l'autre. Le calcul est très précis et le passage s'ouvrait à des dates et des heures fixent. Il y avait quatre ouvertures sur une année terrestre, une par saison. L'univers est remarquable. Il ouvre des espaces de navigation rapides. Nous avions beau avoir des techniques de déplacement développées quand vous vous rendez à des milliards de milliards de kilomètres, l'aide de phénomènes naturels est précieuse. Cela nous faisait gagner des années de voyages et de vie. Il y a toujours des lieux où vous pouvez passer dans un monde parallèle. Ils ne sont plus situés aux mêmes endroits car la terre a changé mais ils existent. Vous allez d'un monde à l'autre sans même passer par la case espace. Ces ouvertures relient les planètes habitables. Vous avez emprunté l'un de ces passages sous le Sphinx pour venir jusqu'à nous.

Les questions que je me pose sont les suivantes : si vous trouviez ces passages, qu'en feriez-vous ? Iriez-vous détruire les autres planètes comme vous détruisez la vôtre ? Allez-vous éliminer nos populations parce qu'elles ne sont pas conformes à vos exigences physiques et morales ? Allez-vous, nous exterminer pour prendre possession d'une planète propre et pleine de ressources ? La réponse que j'apporte à mes interrogations c'est que vous n'êtes pas prêts. C'est pourquoi le premier contact doit se faire par le biais d'intermédiaires comme vous. Nous allons vous aider si vous l'acceptez mais pas après pas.

Continuons notre trajet et marchons un peu à travers les lignes de Nazca. Certains symboles sont difficilement explicables. Nous ne pensions pas que votre mémoire serait effacée. Les anciens étaient chargés de raconter l'histoire et l'histoire est devenue légende. La légende n'est pour vous qu'un souvenir inexistant. Surtout, l'évidence est pour l'humain un mystère indéchiffrable et comme vous vous basez sur des croyances assénées depuis votre plus jeune âge, la conclusion est que vos ancêtres ne sont que des hommes peu évolués. Impossible pour eux de créer des pyramides, des lignes précises, des sculptures quasi parfaites... Regardez bien ces lignes. Ces animaux dessinés. Ces traits qui les traversent. Ces spirales. Les lignes de Nazca sont une cartographie de l'univers. Sur terre, chaque continent porte un nom. Il en est de même pour le cosmos. Chacune des parties de ce dernier a été prédécoupée. Nous les avons nommées. Chaque forme animale représente les galaxies découvertes dans l'univers. C'est donc un ensemble qui crée un tout. Pour exemple, vous avez la galaxie du Simia, de l'Hominem, de l'Arachnée, du Colibri et ainsi de suite. Les lignes sont des routes interstellaires qui permettent d'y accéder. Il s'agit d'un plan géant que vous avez sous les yeux mais vos connaissances sont encore modestes dans ce domaine. Vous n'avez exploré qu'une faible partie de l'univers. Ce site sacré était un lieu d'études comme Teotihuacán et Gizeh. Ils nous permettaient d'enseigner mais également d'observer le ciel car il a un emplacement idéal pour cela.

Au final, l'être humain a un esprit étriqué, confiné dans une sorte de monde irréel et qui n'est pas le sien. Il faut oublier tout ce qui vous a été enseigné à l'école. Vous êtes des êtres formatés. Tout ce que vous ne connaissez pas vous semble étrange. Vous finissez par trouver une explication rationnelle à tout. Rien ne sort des sentiers battus. Bien entendu, c'est ce que souhaitent vos gouvernements. Faire de vous des hommes bons ou plutôt des moutons de Panurge, des hommes prêts à rentrer dans un moule bien défini. Il est plus aisé de vous guider et de vous faire accepter la mécanique du fonctionnement de la vie ainsi. La question est : l'homme est-il fait pour être sédentaire ? L'humain aime rêver, penser, imaginer, créer et s'aventurer. Il aime partager. Le mal être qui vous ronge est présent. Il n'y a pas pire pour un homme que de ne pas connaître ses réelles racines. Il n'y a pas plus mauvais que de ne pas savoir pourquoi vous êtes là et quel est le but à tout ça. Il est temps d'éveiller vos consciences... »

Les crânes de cristal

Je me risque à demander à Râa ce que les crânes de cristal ont à voir avec la légende Atlante.

« Les crânes ont été façonnés et créés par les Atlantes. Nous en avons remis un à chacune des nations amies. Le pouvoir des crânes a été expliqué et un tuteur par nation a été nommé. Le but était de protéger ces peuples alliés. Les crânes de cristal sont aux nombres de treize. Vous connaissez certainement la légende Maya qui dit que lorsque le treizième crâne sera découvert, le secret de la vie sera révélé. Ils ont tous été trouvés mais ils n'ont pas été réunis. Pour que l'action des crânes prenne effet, il faut qu'ils soient mis en relation. Ils sont la mémoire de la terre et enregistrent le présent. Ces crânes ont la possibilité de communiquer avec leur propriétaire désigné. Ils ne peuvent être mis qu'en possession d'âmes pures, dans le cas contraire cela peut tourner au désastre. Nombreuses guerres ont commencé parce qu'un crâne s'est retrouvé dans de mauvaises mains. Le détenteur d'un crâne doit le protéger et ne pas s'en servir à des fins personnelles. Les crânes une fois réunis marqueront le changement puisqu'ils sont les gardiens des connaissances. Les consciences s'ouvriront. Vous allez voguer vers une énergie et une ère nouvelle. Cependant, la situation sur terre est à un point de non-retour et il va falloir agir vite. Vous avez épuisé les ressources de la terre. Vous avez décimé les seuls peuples dans le vrai, les peuples autochtones. Vous usez des armes et de la guerre. Vous êtes capables de jouer avec le temps en créant des orages et en faisant tomber la pluie mais vous laissez vos enfants d'Afrique mourir de faim et de soif. Vous répandez des virus créés en laboratoire pour réguler la population mondiale. Vous semez la peur à travers les médias. La haine de la différence amène à la création de groupuscules plus violents. Vous ne vivez que pour l'argent. Vous pensez avoir le pouvoir mais le seul pouvoir que vous avez est le pouvoir d'achat. Acheter est vital. Tout est robotisé. Vos enfants sont envoûtés et lobotomisés par les jeux vidéo, les téléphones portables, la télévision. Ils ne connaissent pas la frontière entre la réalité et le virtuel. Ils sont morts-vivants. Ils n'ont même pas conscience qu'ils respirent. Vous avez l'arme nucléaire. En appuyant sur un simple bouton, vous pourriez détruire le monde. Vous l'avez utilisé à Hiroshima et à Nagasaki. Vous créez des produits alimentaires qui rendent malades. Votre alimentation est souillée. Votre médecine et vos médicaments ne soignent pas mais vous empoisonnent. Vous élevez et tuez des animaux avec sauvagerie. Vous faites de l'élevage de masse. Vous êtes dans l'abus de tout. Votre pêche est irrespectueuse pour l'environnement. Vous savez, les animaux ont une conscience et ressentent la douleur, tout comme les fleurs et les arbres. Vous tuez un noir parce qu'il est noir, un homosexuel parce qu'il aime les gens du même sexe, vous tuez pour la religion, pour un chagrin d'amour ou par désespoir. Vous violez des enfants et des femmes. Ce sang, ce fluide, cette énergie qui coule en vous et le même pour toute chose et pour toute âme vivante. Votre cœur est ignorant. Vos yeux sont aveugles. Vos oreilles sont sourdes. Votre monde est devenu le terrain de l'horreur et de la folie. Vous ne savez plus comment vous sortir de cette situation devenue intenable. Vous êtes allés trop loin. La planète va se rebeller et vous n'y pourrez rien. L'humanité risque de s'éteindre. La terre est votre mère et vous la malmenez. C'est le moment pour vous de comprendre, d'apprendre et de grandir. Tout va changer sur la terre et vous serez obligé de prendre conscience car vous serez au pied du mur.

Je peux aussi évoquer la date butoir du calendrier Maya du vingt et un décembre deux mille douze. Cette date n'est pas la date de la fin du monde. Elle marque le début d'un nouveau cycle de vie. Les enfants nés après cette date seront pour la plupart des êtres éveillés. Des enfants de paix et d'amour. Ils seront la réincarnation de guides et de vieilles âmes. Ils auront la sagesse et auront les yeux grands ouverts. C'est la date du renouveau. La planète Terre va peu à peu reprendre ses droits et des êtres purs vous sont envoyés pour faire évoluer votre civilisation. Cette vague va peu à peu amener le changement que souhaite l'humanité. »

L'homme et la prise de conscience

« Vous êtes des êtres faits d'amour et de compassion. J'espère que la prise de conscience sera rapide car votre vie sur terre risque de devenir étouffante et pesante. L'homme a construit un mur autour de son âme pour se protéger. Ne vivant que de guerres, de déceptions, d'échecs, de hauts et de bas, l'être humain oublie ce qu'il est. Son esprit est prisonnier de la société dans laquelle il vit. Il est barricadé de toute part. Coincé entre l'envie de faire et la dure réalité qui lui est imposée. La solution est d'apporter à l'homme la lumière qu'il attend. L'amour est une issue viable. Cela peut paraître naïf. L'amour donne des ailes, le sourire, l'envie de décrocher la lune. L'amour c'est être libre. C'est accepter de mettre son ego de côté. C'est tendre une main et donner de la joie. C'est ouvrir un cœur fermé. C'est s'oublier. C'est un cercle sans fin. L'amour est infini tout comme la vie. Il est partout autour de l'homme. Il est dans la couleur du ciel, dans les feuilles d'un arbre qui balancent sous le vent, dans les vagues qui caressent le sable fin. C'est la naissance d'un enfant, l'aboutissement d'un acte et de sentiments. C'est cultiver son jardin et offrir aux autres. C'est une goutte de pluie qui roule sur la peau. C'est une vache qui broute paisiblement dans un champ. L'amour c'est faire attention aux moindres petits détails qui passent devant les yeux. C'est l'univers tout entier. Il n'a aucune fin, aucune limite. C'est l'instant présent. Un instant précieux. Rien ne peut se posséder. Tout est à créer et à offrir. L'homme naît, il admire, il meurt. Telle est sa destinée. C'est ce qui donne cette valeur inestimable à la vie. L'homme est un être de paix et la réalité et là, sous ses yeux. Il a la parole pour communiquer, des mains pour cultiver son bonheur, des jambes pour aller où il souhaite, des yeux pour admirer, des oreilles pour écouter les sons et les bruits de la nature... L'homme est riche de tout mais il ne réalise pas bien tout ça car on lui a fait croire qu'il avait besoin de plus. Il s'enferme dans une routine qui ne lui correspond pas et qui le brise à l'intérieur. Il est seul et triste. Il se lève le matin, prend sa voiture, va travailler pour vivre. Il rentre le soir, tard, s'enferme dans un appartement et est fatigué. Il pianote sur son ordinateur, il regarde la télévision et va se coucher. Le lendemain, il reprendra le même sentier avec les mêmes habitudes et il mourra peu à peu. Voilà, le problème. L'homme a perdu la conscience de son être. Il est emprisonné dans une spirale infernale. L'homme est rattaché et lié à la terre. Il a besoin d'air, de liberté, de bouger, de crapahuter. Il n'est pas fait pour être casanier et se crée de nombreuses maladies au fond de son être avec ce mode de vie. Le mental est devenu plus important que l'esprit. Qui y a-t-il de plus dangereux que cela ?

Si je vous demande, à toi Eluan et à ton équipe ce qu'il y a de plus important au fond de vous ? Prenez le temps de réfléchir, inspirez et ressentez. La liberté. Voilà. C'est en prenant conscience de cela, de l'amour qui vous habite et de la liberté qui vous anime que vous changerez le monde et les âmes. L'argent n'achètera jamais le bonheur. Il est une énergie comme une autre. Il vous faut revoir le progrès et constater les dégâts. Vous pouvez associer argent, vie moderne et retour à la terre, cela sans façonner d'inégalités. L'homme n'est riche que de ses connaissances et doit les transmettre. S'il ne le fait pas, il meurt en son cœur. Il devient fade et terne. Il s'épuise parce qu'il n'a pas de but réel. L'homme est né pour élargir son horizon de connaissances diverses. Il doit évoluer. L'esprit doit prendre une place prépondérante dans le chemin de l'humain. Retrouver les valeurs spirituelles propres à l'homme c'est retrouver ce qu'est l'humain. Pour cela, l'homme doit travailler sur lui-même et sur ses faiblesses. Il ne doit pas se reposer.

Prenons l'exemple d'un arbre. Pensez-vous qu'un arbre réfléchisse à ce qu'il doit faire ? Non. Il fait. Il agit. Ses racines prennent dans le sol et il grandit. Quand l'été approche, ses feuilles sont vertes et pleines de chlorophylle et quand l'automne surgit, ses feuilles brunissent et tombent. Tel est son but. Il ne sert pas qu'à cela. Le niveau de surface des feuilles permet à l'arbre de multiplier la surface d'échange pour la photosynthèse. Autrement dit, l'arbre produit de l'oxygène. Ne nous arrêtons pas là. Un arbre est capable de nourrir les arbres voisins et de communiquer avec eux. On peut aussi voir le côté pratique. Un olivier permettra d'obtenir de l'huile, des olives et l'on peut aussi faire de la tisane avec ses feuilles. Des tables et des chaises avec son bois. Tout arbre est utile. Certains vont permettre de se chauffer, d'autres à construire. L'épicéa ou l'érable feront de bonnes guitares. L'Eucalyptus fera de bons didgeridoos. Tout cela pour dire que l'être, qu'il soit humain, végétal ou animal a un rôle précis, et ce même s'il ne le sait pas. Il peut avoir plusieurs talents et les utiliser sans se cantonner à une seule et même tâche. L'homme dans son ensemble c'est-à-dire homme et femme doit se réaliser et comprendre ce pourquoi il est là. L'homme ne doit pas être assimilé à son mental, le mental c'est le préfabriqué. Le pourtour. Ce n'est pas l'homme. L'homme est un instinctif, il doit se relier à l'esprit. Quand il fait cela, l'homme se trouve et se sent en harmonie avec la vie, avec ce qui l'entoure et surtout avec lui-même et les autres. Il ne faut pas que l'homme oublie que son unique créateur est l'univers et qu'il est son reflet à travers l'énergie qu'il transmet. L'homme doit s'assumer tel qu'il est et agir pour sa propre vie pour avoir un intérêt aux yeux des autres. Il peut servir de modèle lorsqu'il s'accomplit. L'homme doit devenir responsable. »

La planète Terre, vos origines

Que pouvez-vous me dire de la terre et des origines du peuple humain ?

« Quand nous sommes arrivés sur la planète Terre, celle-ci était occupée par les peuples indigènes. Ils vivaient en paix et avec facilité des fruits de la nature. Ils jouissaient de leur liberté. Ils avaient une réelle admiration pour Gaïa et un lien privilégié avec elle. Le peuple Atlante a voyagé à plusieurs reprises sur Terre afin de nouer un contact avec les humains et pour apprendre à les connaître. Une complicité a été instaurée. Nos peuples se faisaient confiance. C'était une relation de partage. Les indigènes avaient le savoir de la nature et la spiritualité que nous n'avions pas. Quand nous avons perdu Atalum, ils nous ont offert une terre inhabitée au milieu des océans. Ils étaient soucieux de notre bien-être et ils avaient cette force incroyable, la force du cœur. La plus grande richesse de vos ancêtres était leur âme, leur esprit et leur façon de vous montrer à quel point vous êtes importants pour eux. Chaque petite plante était précieuse à leurs yeux. Je pourrais parler au présent car ils sont toujours sur votre planète et ont réussi à surmonter le pire, la privation de leur terre sacrée. Leur habitat naturel leur a été retiré et volé. Ces êtres sont restés debout et droits malgré cette dépossession. Ces hommes et ces femmes, indigènes, sont les enfants de la terre. Ils sont la racine, la source. Votre lignée. Ils nous ont accueillis. Nous avons su les aimer et les respecter en retour. Cette relation Humain, Atlante, était fusionnelle. Nos deux peuples se sont mélangés. Des hommes et des femmes se sont unis par amour et ont donné naissance à des êtres métissés, mi-hommes et mi-Atlantes. Nous n'avons vu aucun inconvénient à ses amours pures et réelles et nous avons créé des êtres nouveaux, mi-terrestres et mi-extraterrestres, c'est-à-dire vous. Un joli mélange des genres dont nous sommes fiers aujourd'hui encore. L'homme hybride est donc doté des capacités des Indigènes et du potentiel des Atlantes. Des racines rares venues d'ici et d'ailleurs. Quand nous avons quitté la planète Terre, le cours de la vie a repris et vous avez oublié vos racines, vos origines, vos sources… Tout cela n'était plus que légende. L'homme nouveau a évolué ici et là et notamment en Europe. Il a voulu voyager, découvrir le monde avec des bateaux de fortune et des fusils bien armés. Vous connaissez la suite de l'histoire. Les gênes Atlantes étaient bien en vous, la guerre et le conflit aussi. Nous sommes responsables en partie de cela mais si vous écoutez au fond de votre âme, vous entendrez l'appel de la nature et ressentirez des liens profonds avec la source. Vous avez cette dualité en vous. Cette colère et cette spiritualité. Le bon et le mauvais. Le peuple Atlante a dû apprendre l'esprit, la bonté et le cœur, qualités naturelles chez l'indigène. Les connaissances et le savoir vous reviennent petit à petit. Vous progressez vite mais comme je l'ai déjà dit, vous allez trop loin dans le processus du progrès. L'humain se cherche et se pense seul dans l'univers parce qu'il ne connaît pas ses origines réelles. Il y a une part d'autodestruction en lui. C'est à cela qu'il faut remédier. Vous n'êtes pas seuls et vos actes ont des conséquences bien au-delà de la terre. L'univers entier est touché par vos actes. Alors, pourquoi cette perte de mémoire ? Nous ne le savons pas. Nous ne l'expliquons pas. Les années ont dû jouer et l'humain a tendance à ne croire que ce qu'il voit. Les anciens avaient la mémoire des ères antérieures et ils étaient chargés de vous transmettre l'histoire. Ça ne s'est pas passé ainsi puisque les sages ont été sacrifiés. Votre ego sous le bras, la fierté dans vos cœurs, vaillants, vous êtes allés combattre les peuples sans armes pour voler des terres qui n'appartiennent qu'à Gaïa. Vous avez soumis les femmes, bien trop fines et rusées. Vous avez trouvé des esclaves pour le sale boulot et abusé de votre force physique. Vos gouvernements continuent ce système qui fonctionne si bien qu'ils font de vous des prisonniers de la vie. Plus rien ne tourne rond et votre planète en pâtit. C'est pourquoi nous avons décidé de venir jusqu'à vous ou plutôt de vous faire venir ici. Vos ancêtres indigènes et Atlantes ainsi que les peuples des autres planètes vous demandent de repenser à vos idéologies. Il faut intégrer dans votre conception du monde le fait que seule Gaïa décidera de votre sort et que si aujourd'hui est un jour acquis, demain ne le sera peut-être pas. Un homme doit pouvoir se nourrir en cultivant la terre, construire une maison de ses mains et s'offrir un toit au-dessus de sa tête puis donner aux autres les connaissances qu'il possède. L'évolution de votre planète doit être écologique. La liberté doit être rendue. Chaque entité doit être libre de jouir de son corps, de son âme, de son esprit et de la terre. Tout cela dans le respect de tout ce qu'il est et de tout ce qui l'entoure. Aucune contrainte ne doit être imposée. Le seul code de conduite doit être le code du cœur et de l'esprit. Le seul chef qu'il peut y avoir doit être un guide éveillé et bon. Vos politiques sont des rois qui vous rançonnent et s'enrichissent d'or et d'abus en tout genre. La vraie parole est celle du peuple, les vraies valeurs sont celles du cœur. On tente de vous faire oublier les liens qui vous unissent les uns aux autres en vous divisant. L'être est un fruit sacré provenant de la source. Lui seul peut décider tant que sa décision est en harmonie avec lui-même. Prenez une tribu amérindienne, son chef est désigné parce qu'il a les connaissances, la sagesse, la pureté de l'âme et la grandeur de l'esprit. Pouvez-vous en dire autant de vos hommes d'État ? Tout ne changera pas en un claquement de doigts et jamais nous ne prônerons la violence. Il faut choisir vos dirigeants en pensant à ce qu'ils peuvent apporter de positif pas que dans vos vies mais pour la planète et votre mode de vie. Il y a eu de grands hommes de passage sur la terre, Big Foot, Nelson Mandela, Mahatma Gandhi, Martin Luther King, pour ne citer que ceux-là. Vivez une vie de liberté, soyez liés les uns aux autres. Ne blâmez personne. Soyez responsable de vos actes et de vous-mêmes. Aimez votre prochain. Soyez bon et profond. Vous serez heureux en homme libre. »

Le départ, les révélations

J'interroge Râa sur le départ précipité des Atlantes.

Pourquoi avez-vous quitté la terre ? Vous auriez pu nous accompagner, nous aider à nous souvenir puisque nous sommes votre descendance.

« C'est assez simple en réalité. Nous n'avions plus de terre, plus de Pays, plus de monde à nous. Après les catastrophes, nous sommes restés pour apporter ce que nous pouvions et puis nous avons fini par vouloir reconstruire. Ici, nous avions l'impression d'être de passage puis surtout la vie humaine commençait par nous atteindre. Nous n'avions plus le choix de notre sexe, une espérance de vie plus courte. Nous ne pouvions plus choisir non plus le moment de notre mort. Nous pouvions revenir sur terre autant que nous le souhaitions grâce aux portails. Ce n'était pas un problème. Certains Atlantes sont restés et je suis repartie avec ma fille Lahtania et bon nombre des miens. Nous avions trouvé une planète habitable hors du système solaire et vide de vie. Cela a été une chance pour nous, une opportunité à saisir. Mon fils Ashlem est resté sur terre. Il a souhaité veiller sur les humains et a été nommé gardien de la terre. Il a retrouvé l'amour auprès d'une humaine et le goût de la vie. Quant à Lahtania, elle était nostalgique de la grande Atlantide. C'est aussi pour elle que nous sommes repartis. Elle ne vibrait plus à la même échelle. Vous êtes en ce moment même sur notre nouvelle terre d'accueil, Bilem. Ici, c'est la ville d'Atlantea. Nous voulions reprendre contact avec les humains mais pour cela, il fallait que l'homme trouve le passage et que votre envie de trouver des réponses soit pure et profonde. Nous souhaitons donner à nouveau notre savoir, montrer le chemin. Vous avez atteint et franchi les limites. Vous faites partie de notre grande famille et comme je vous l'ai dit du sang Atlante coule dans vos veines. Vous n'êtes pas tous de notre patrie mais c'est là, la beauté de votre civilisation et de votre planète. Vous avez sur terre des origines différentes venant de plusieurs nations de l'univers. Vous êtes tous humains, tous indigènes et tous d'ailleurs. C'est pourquoi ma civilisation et plusieurs autres civilisations veulent intervenir en votre faveur, avant qu'il ne soit trop tard. Nous souhaitons reprendre les échanges. Vous apprendre et apprendre de vous. Vous orienter pour ne pas que les mêmes erreurs ne se reproduisent encore. Pourtant, je ne sais pas si vous êtes aptes à accepter cette aide. Nous souhaitons quoi qu'il en soit dialoguer et voir où cela peut mener. Je crois que chaque entité sur la planète Terre sait au fond d'elle qu'il est temps de réagir. Tout comme notre peuple l'a compris. Si je t'ai fait venir ici Eluan, c'est parce que tu es l'élu. Le lien entre les Atlantes et l'Humanité. Tu es de la descendance d'Ashlem. Tu es donc de ma lignée. Le temps sur terre étant plus court que sur Bilem, vous n'aurez pas la chance de connaître mon fils. Malgré ses erreurs, c'était un être bon et comme beaucoup d'hommes sur terre, il a fini par se perdre dans les méandres de son mental. Son cœur battait peut-être trop fort. Ses émotions étaient plus profondes et sa sensibilité aussi. Il n'a pas su gérer ses sentiments. Il a laissé ressortir en émotions négatives tout ce qui lui prenait les entrailles et les tripes. Pourtant, je l'assure c'était une belle personne. Je voudrais que vous sachiez que derrière chaque homme se cache un diamant brut et prêt à révéler le meilleur de lui-même. Ce, malgré le mal que ces hommes ont pu faire. Je sais que c'est difficile à accepter. Il y a tant d'actes de barbarie. Pourtant derrière chaque âme même la plus sombre ou celle dans l'ombre, il y a la lumière. Une lumière parfaite. »

Je souhaite savoir comment les Atlantes vont intervenir auprès des humains et je pose la question à Râa.

Si, je retourne sur terre avec mon équipe et pour seule preuve le « livre de l'esprit », les scientifiques vont penser que nous avons fait une découverte extraordinaire et qu'une civilisation dont nous n'avions pas connaissance a jonché le sol de notre planète mais ils penseront sûrement que cette civilisation n'était pas plus intelligente que la nôtre et qu'elle n'atteignait pas notre niveau intellectuel. Comment pouvons-nous prouver votre existence et démontrer que nous sommes en communication réelle ? Et pour finir, comment leur prouver que nous sommes en train de commettre les mêmes erreurs ?

« La réponse est simple. N'êtes-vous pas en train de filmer chaque moment et de réaliser un documentaire sur votre épopée ? N'êtes-vous pas en train d'écrire tout ce que je narre ? Il sera facile d'utiliser cela et nous allons vous accompagner. Vous ne serez pas seuls contre tous. Vous aurez des preuves. Je vous invite à découvrir notre cité Atlantea, je vous propose de poser vos bagages quelque temps sur notre astre et de prendre le temps de la réflexion. Allez à la rencontre des esprits. Écoutez. Parcourez notre ville. Discutez avec nos habitants. Vous pouvez faire le tour de Bilem, vous arrêtez quand vous le souhaiterez. Prenez le temps. Retirez vos montres. Ne comptez plus. Je vous encourage à rester avec nous. Quand vous penserez que vous en avez assez vu, nous vous soutiendrons. Nous serons là. Ayez confiance. Avant tout, respirez et prenez conscience de ce qui vous entoure. Imprégnez-vous. Ne vous posez pas trop de questions. Voyez ce que nous avons accompli. Votre récit n'en sera que plus fort ou a contrario vous souhaiterez peut-être ne pas en dire plus et en rester là. Ce sera votre choix. Votre décision. Nous ne vous forcerons à rien. Soyez rassurés, apprenez et envisagez. Ensuite, nous pourrons parler d'avenir et par quels moyens vous pourrez démontrer notre existence. Nous serons là avec vous et présents physiquement à chaque étape. Vous avez donc un début de réponse. J'espère que vous vous en contenterez. Vous avez le droit de filmer, le droit d'écrire tout ce que vous entendrez. Toutes les portes sont ouvertes. Le seul interdit que nous vous mettons c'est d'indiquer la façon dont vous êtes venus jusqu'à nous. Ceci doit être un secret gardé. Vous ne devrez jamais indiquer où se trouve la porte de passage. Cet accès est réservé aux hommes désignés. Je pense que vous comprendrez cela. Soyez à votre aise dans ce lieu. Nous ne parlerons plus du passé. Je vais vous montrer le présent et comment à travers Bilem, nous évoluons. »

Après concertation avec l'équipe, nous décidons de rester sur Bilem et d'observer la vie des Atlantes. Nous n'avons pas réalisé tout cela pour nous défiler. La mort de mon père nous a conduits tout droit vers un miracle de la vie. Un mal pour un bien.

La réalité, l'instant présent

Le seul instant réel est le présent. L'ici est maintenant. Hier appartient au passé, il n'est plus. Demain au futur, il n'est pas.

C'est à ce moment même, dans le présent, que j'ai compris l'intensité de la vie.

Atlantea : la ville

Lahtania a pris soin de nous organiser quelques rencontres. Avec l'équipe, nous allons commencer par filmer l'étrange pyramide centrale et le reportage suivra son cours. Nous le ferons à l'instinct, au fil des rencontres. Râa continue à être notre guide dans les rues de la capitale.

« Nous avons repensé la ville. Notre cité est la plus grande de Bilem. Il s'agit d'une île. Vous ne vous en êtes peut-être pas aperçu. Elle a été construite de façon à ce que personne ne se sente oppressé. La nature en est une pièce maîtresse et nous la chérissons pour ce qu'elle nous offre. Chacun de nous à son jardin. Chacun a un espace de méditation. Chaque être doit se sentir libre et utile. Il n'y a pas d'impôt, il n'y a pas d'argent. L'échange de bon procédé est notre moyen de partager. Cela rend la population responsable et intéressée. C'est-à-dire que si nous avons besoin de construire un nouveau bâtiment, les Atlantes bâtisseurs répondent à l'offre et reçoivent en échange nourriture, eau et soins de bien-être. C'est une forme de troc et ça fonctionne très bien ainsi. Tout le monde joue le jeu et nous ne créons pas d'inégalité. L'argent est une énergie comme les autres mais apporte beaucoup de déséquilibres entre les personnes s'il est mal utilisé. Nous ne voulons pas de ça. Chaque

Atlante a le droit à un toit. Nous ne produisons que ce que nous consommons. Pas de surplus. Ce mode de fonctionnement nous a été inculqué par les Amérindiens. Cela peut vous paraître être un mode de vie idéaliste de votre point de vue de terriens. Il n'en est rien, nous vivons dans le respect de ce qui nous entoure. Chaque déchet est recyclé. Chaque professeur est bénévole. Le savoir est une richesse qui se transmet. Les artistes s'expriment dans des lieux mis à disposition. Il n'y a pas de surexposition et pas de paillettes. La musique est gratuite, elle ouvre l'esprit, elle calme les ardeurs. Nous ne vivons pas dans un monde parfait car être libre demande des concessions. Nos énergies sont propres. Nous avons mis au point un collecteur solaire grâce à la roche de cristal. Les énergies sont redistribuées gratuitement à nos citoyens. Nos technologies sont similaires aux vôtres mais sont plus pointues et plus saines. Vous constaterez que nos téléphones, nos ordinateurs ou encore nos voitures ne sont pas modelés comme les vôtres. Nos objets volants vont plus loin en moins de temps et sont silencieux. Tout est relié au cristal qui peut contenir des informations, stocker et renvoyer l'information et l'énergie. Dans notre nouveau monde, toute la population a le même niveau de vie. Les gens vous diront que ce n'est pas leur dessein que d'avoir trop. Ce qu'ils veulent c'est être libre et heureux. C'est voyager, partager et apprendre. C'est humer chaque parfum que la nature propose pour apaiser l'esprit. C'est de ne pas se sentir enchaînés. C'est admirer et apprécier le simple fait d'être en vie. Tout n'est pas parfait, ce serait mentir que de dire ça mais nous parvenons à maintenir notre qualité de vie. Nous pensons que ce choix de vie est meilleur et plus en osmose avec ce que nous sommes. Surtout, je crois que chaque être aspire à cette vie-là et c'est pourquoi cela fonctionne. Si vous ne souhaitez pas travailler tel jour, alors vous ne travaillez pas. Vous vous gérez. C'est pareil pour moi, grande prêtresse, j'ai un lieu où dormir, je conseille mes patriotes et je vis humblement en appréciant tout ce que j'ai. Je prends un autre exemple, si vous souhaitez profiter de votre soirée et manger dans un restaurant, alors vous devrez un service au restaurateur. S'il prend deux heures de son temps à vous servir, vous lui devrez deux heures pour l'aider à retaper sa maison, ou à servir ses clients suivant vos compétences. C'est aussi simple que ça. »

Je constate les dires de Râa. Les personnes que je rencontre sont souriantes et heureuses. Dans les rues, la nature est une œuvre. Elle n'a pas de limite. Les Atlantes construisent autour d'elle et ne la décime pas pour s'installer. Leurs bâtiments s'imbriquent à elle. Les fleurs sont nombreuses sur leurs sentiers de marche. Les jardins sont verts et généreux. Leurs véhicules sont cristallins et ne font pas de bruit. Pas de pot d'échappement. L'air est pur. La structure de la ville est la nature elle-même et pour avoir discuté avec quelques Atlantes, j'ai bien compris qu'ils ne rêvaient pas d'une autre façon de vivre. Ils s'adaptent à leur environnement. Les senteurs sont partout omniprésentes à chaque coin de rue. J'ai remarqué qu'ils ne diffusaient que des images et de l'information positives. Si nous arrivions en tant qu'être humain à réaliser un tel ouvrage sur notre planète, nous aurions tout gagné et notamment la liberté de vivre. Nous nous sentirions mieux les uns avec les autres et avec nous-mêmes. Qu'il fait bon de respirer ici. Tout semble évident et pourtant nous n'arrivons pas à comprendre cela sur terre. La nature est reine. C'est à l'homme de s'adapter, à l'homme de la chérir et de se fondre en elle pour vivre en pleine harmonie avec elle. Qu'est-ce qui fait que nous avons pris des directions contraires au vent ? Si c'est l'argent la réponse, je vois là, la bassesse d'esprit du genre humain. L'argent est une énergie. On peut penser qu'il est utilisé de la mauvaise des manières et de façon non équitable. C'est l'usage que l'on en fait qui donne une impression négative à son utilisation. C'est la vision que l'on a de l'argent qui fait qu'on l'attire ou pas. L'argent n'est pas une mauvaise chose. C'est une bonne énergie mais il n'achète pas la liberté qui elle commence dans la tête. La Liberté n'a pas de prix et les Atlantes sont des électrons libres. Libre de vivre comme ils l'entendent dans le respect de ce qu'ils ont et de ce qui les entoure. Ils ont accepté les forces supérieures à eux dans leur environnement direct, la nature, et dans leur environnement plus lointain, l'univers.

Râa me donne la possibilité de poser quelques questions à Misteo, professeur des sciences spirituelles à l'académie d'enseignement et de la recherche d'Atlantea plus communément appelée l'AERA. Cet entretien a été riche d'informations. Il a donné un large aperçu de ce qui pouvait nous attendre sur la suite du voyage. Tous les entretiens et nos futures aventures seront immortalisés.

Carnet de bord – Questions à Misteo – Lieu : Atlantea

ELUAN : Vous enseignez les sciences spirituelles. Pouvez-vous m'expliquer ce que c'est ?

MISTEO : Prenons d'abord le mot « sciences » et expliquons-le. La science c'est l'étude des faits et de ce que l'on peut vérifier avec preuves. A contrario le mot « spirituel » c'est l'immatériel, le mystique. Ce mot relève de la pensée et de la réflexion. Je fais l'étude de l'impalpable en quelque sorte. De ces choses que l'on ne peut pas tenir dans les mains et que l'on n'observe pas avec les yeux. J'apporte grâce à mes recherches qui sont testées et prouvées, ce sans marge d'erreur, une science de l'esprit. Un art de vivre, une éthique. Des théories justes qui permettent des pratiques gagnantes sur le mental. Le mental qui, comme vous le savez, empêche l'esprit de s'élever.

ELUAN : C'est ce que nous appellerions de la philosophie ?

MISTEO : La philosophie est un raisonnement. Le spirituel est une science oubliée par un bon nombre de terriens. La méditation est une science de l'esprit.

ELUAN : Avez-vous un exemple à me donner, des théories pratiquées sur Bilem ?

MISTEO : Nous avons la règle des trois A. Première pratique spirituelle enseignée dès le plus jeune âge. Que vous inspire la lettre A ?

ELUAN : Le A c'est le début, le commencement ou le A du mot amour.

MISTEO : C'est en partie cela mais vous n'approfondissez pas. La règle des trois A signifie :

— Aimer

— Agir

— Accepter

Trois mots positifs. A : la lettre du commencement qui peut faire penser au chiffre un. Le début. Le principe est simple à mettre en œuvre. J'aime mon prochain et ce qui arrive à moi, j'agis pour moi et pour les autres et j'accepte ce qui est. Les théorèmes que j'applique ont pour principe de faire s'élever le niveau de conscience ainsi que la fréquence vibratoire de chaque individu. Plus précisément, ils apportent la possibilité d'aller plus haut par l'esprit jusqu'à l'éveil. Ces théories programment le cerveau de façon positive. Vous débloquez ainsi l'inconscient qui peut vous protéger en créant des émotions négatives comme la peur, le stress, l'angoisse, les phobies… C'est cela les sciences spirituelles. C'est l'art de la maîtrise de son mental.

ELUAN : Cela paraît simple mais le mental est parfois incessant et ne permet pas toujours de bien savoir où sont nos réels désirs et pensées.

MISTEO : C'est dans la simplicité que se trouvent les belles choses de la vie. Les humains sont formatés dès leur plus jeune âge. On vous assène de mots négatifs qui créent en vous des blocages inconscients. L'inconscient c'est un disque dur qui stocke tout et qui créera des réactions péjoratives avec lesquelles vous lutterez toute votre vie pour vous en débarrasser. Vous pouvez reformater ce disque dur à tout moment. Il suffit de vous répéter des mots positifs, de visualiser des moments constructifs. Les hommes veulent toujours plus. Et plus les hommes ont, plus ils veulent parce que vous êtes dans un système où il faut consommer. Mais il vous manque l'essentiel c'est le retour au rien. La base de tout. Le sens de la vie. Dites-moi Eluan, ressentez-vous ce vide, ce manque au fond de votre cœur et si commun à l'humain ?

ELUAN : En permanence. Je ne veux pas mentir.

MISTEO : Comment l'expliquez-vous ?

ELUAN : Je ne l'explique pas. Je me dis que je dois réussir pour combler tout cela. Que je dois aller plus loin et que ce vide finira par se remplir.

MISTEO : C'est là votre tort. La réussite comme vous la sous-entendez, et aussi grande soit-elle, ne comblera jamais ce vide. Ce vide est comme l'univers. Il est rempli d'étoiles et de planètes mais vous passez à côté de tout. C'est la paix intérieure qu'il vous faut trouver. L'équilibre. Trouver un accord entre vous, ce qui vous entoure et ce à quoi vous aspirez. Cela s'apprend et c'est ce que j'enseigne. Je vous invite à entrer en vous à chaque réveil. Répétez-vous ces trois mots merveilleux, j'aime, j'agis et j'accepte. Contentez-vous de peu et appréciez. Ce principe changera votre façon de penser et de percevoir la vie. Je pourrais poursuivre l'enseignement mais continuez votre voyage parmi nous et revenez me voir à votre retour dans notre belle cité d'Atlantea.

ELUAN : C'est promis, je reviendrai avec mon équipe après avoir découvert Bilem.

J'ai mis fin à notre entretien après ces quelques mots car Misteo a soulevé en moi cette nostalgie omniprésente. Ce vide qui bat sans cesse. Ce manque qui frappe et cogne mais ne disparaît pas. Il a raison, c'est une question d'équilibre et j'ai vécu jusqu'alors sans m'en soucier et en acceptant ce creux qui pèse sur ma vie comme quelque chose de normal. Je pensais que la réussite professionnelle comblerait cela. J'ai pensé que l'amour parfumerait mon existence. J'ai tenté de me trouver mille et une passions. J'avoue, rien n'a colmaté cette faille en moi. Je vis au milieu de l'univers avec des milliers d'étoiles et de planètes mais je ne trouve pas la raison pour laquelle je suis ici. Quel est le sens de ma vie ? Quel est le but ?

La découverte de la cité perdue change la vision que j'ai de l'existence et j'espère que cela va continuer, ce même si je n'ai pas trouvé le chemin qui m'est destiné. Je décide de jouer le jeu et d'un commun accord avec Râa, mon corps arborera son premier tatouage comme pour ne jamais oublier : j'aime, j'agis, j'accepte. Je me promets de répéter ces trois mots chaque matin de mon existence. Je reverrai Misteo avec mon équipe et j'espère assister à ses enseignements.

Bilem : la planète de l'esprit

Nous continuons notre voyage en survolant la planète Bilem. Depuis les airs, j'aperçois une étendue d'eau de couleur rose et c'est magistral. La végétation est dense. Tout paraît paisible. D'immenses forêts recouvrent la majeure partie du territoire. Le ciel est dégagé. Cette boule immense vue du ciel apparaît comme une terre pacifique en accord avec elle-même. On peut observer une sorte d'aura autour d'elle, une protection ou peut-être l'énergie qui s'en dégage.

Râa tient à nous expliquer Bilem.

« Bilem fait deux fois la superficie de la terre. Elle est composée de cinq continents : Arym, Touka, Lavit, Hawk et Atlantea. Le continent d'Hawk a été offert aux peuples indigènes de la terre. Il y a beaucoup d'Amérindiens qui ont trouvé refuge ici. Il n'y a aucune frontière sur Bilem. Chacun de nous a un lieu de vie mais peut en changer. Chaque citoyen est libre de circuler. Nous sommes le peuple de Bilem et Bilem n'appartient qu'à elle-même. Il n'est donc pas acceptable de mettre des limites de circulation. Bilem est entourée d'océans, l'océan Laptique dont le sable est constitué de quartz rose et donne donc sa couleur à l'eau. Cet océan est réputé pour ses vertus calmantes et permet d'ouvrir le chakra du cœur. Vous avez également l'océan

Subaltique qui ressemble beaucoup aux océans terrestres. Bilem possède trois lunes jumelles alignées et un soleil. Les lunes se suivent dans un mouvement synchronisé. La nature est le personnage principal de notre planète. Nous ne voulons pas la perturber et commettre à nouveau les erreurs du passé. À chaque instant, nous l'honorons. Elle est précieuse et nous savons pourquoi nous la vénérons. Nous nous connectons à elle en méditant ou en lançant un remerciement sincère à l'univers. Nous la choyons car nous respirons son air, nous vivons de ses fruits, nous foulons son sol, nous dormons dans ses bras, nous nous baignons dans ses eaux. Nous sentons son cœur battre sous nos pieds, son souffle sous le vent. Nous sommes sensibles à elle et elle nous ressent. Bilem est un être vivant, tout comme votre terre et mérite le plus grand des respects. Les liens qui nous unissent à elle sont indéfectibles. Elle est mère de toute chose, de tout être. Elle décide, nous suivons. Et c'est ainsi pour tout ce qui nous entoure jusqu'à l'autre bout de l'univers. Le continent d'Arym est un continent froid. Il est fait de grandes étendues de glace et de neige. Les températures descendent jusqu'à moins quarante-cinq degrés Celsius l'hiver et remontent en été entre dix et quinze degrés. Il y a sur Arym une longue chaîne montagneuse. Les montagnes de Datila. Elles isolent le village de Ketam des autres bourgs : Pilim, Dortum et Exilim. La forêt recouvre le reste du territoire et recèle des trésors et des animaux incroyables.

Le continent de Lavit appartient à une civilisation que nous avons découverte en emménageant sur Bilem, les Lavitiams. Ils sont de petits êtres humanoïdes, de couleur de peaux mates. Ils ne dépassent pas les un mètre de hauteur. Nous avons établi un dialogue avec eux trois cents ans après notre arrivée. Nous ne les avions jamais croisés auparavant. Ils sont nos amis et vous accueilleront, j'en suis sûre, avec beaucoup de chaleur.

Le continent de Touka possède une architecture particulière, je vous laisserai le découvrir, je crois qu'il vous étonnera. Et puis pour finir, le continent d'Hawk est la terre que nous avons offerte à nos amis Amérindiens en partie. Vous connaissez Atlantea, c'est une île gigantesque et il n'y a qu'une seule et unique ville entourée de nature.

Les chefs spirituels de ces continents vont vous accueillir. Je veux que vous viviez l'expérience de notre planète de façon ouverte et passionnée. Prenez tout ce que l'on peut vous offrir. Écoutez et faites-vous votre propre opinion. Sachez qu'il n'y a pas de supercherie et que vous observerez des êtres sincères et uniques. Je vais à présent vous laisser en entretien avec ma fille Lahtania, Prêtresse de Bilem. »

Carnet de bord – Questions à Lahtania – Lieu : Dans les airs de Bilem

ELUAN : Vous avez quitté la terre de façon plutôt précipitée. Comment avez-vous eu connaissance de la planète Bilem ?

LAHTANIA : Quand nous avons perdu notre planète mère, nous avons trouvé la terre mais aussi d'autres planètes habitables. L'univers est infini, les possibilités sont colossales. Nous avions choisi la terre car les terriens nous y ont conviés et que notre entente était cordiale. Détruire une planète est un échec. Peu importe que nous possédions les capacités à retrouver un autre système pour nous y installer. Nous n'avons pas le droit de dévaster et de jouir de tout sans rendre des comptes. Il fallait cette fois réussir. Bilem est apparue comme une planète vierge d'êtres vivants, abondante et généreuse. Elle a été une évidence pour reprendre la bonne route. Je suis triste de devoir l'exprimer mais la terre ne survivra pas si vous ne changez pas le comportement des humains et surtout de vos dirigeants.

ELUAN : Comment pouvons-nous nous transformer ? Est-il possible que nous changions nous aussi de planète ?

LAHTANIA : Vous n'avez pas la capacité, vous n'avez pas les moyens technologiques et surtout vous n'êtes pas faits pour vivre sur une autre planète. En conclusion, vous n'êtes pas prêts pour changer d'environnement planétaire. Vous n'avez pas le matériel et les techniques suffisamment évolués pour vous conduire sur un nouveau sol. Si vous colonisez Mars, vous vivrez enfermées car l'air n'y est pas respirable. Aucune végétation ne poussera en extérieur. Vous finiriez par vivre sous une bulle de verre. Mars est un pilier important dans votre système. Elle n'est pas faite pour supporter la charge d'êtres vivants. La solution pour votre espèce ce serait de régénérer la terre. D'arrêter tout ce qui pollue et tout de suite. De donner un nouveau souffle à votre astre et à vous-mêmes. Cela est possible s'il y a une prise de conscience collective. Comprendre que la vie est ce qui compte et que l'argent n'est qu'illusoire. Vos institutions sont destructrices. L'argent n'est pas une mauvaise énergie de base, c'est l'utilisation qui en est faite qui abaisse son taux vibratoire et en fait quelque chose de mauvais. Ça n'est pas le cas pourtant. Je vais être très critique et j'en suis navrée. Les dirigeants de votre monde cherchent par tous les moyens à vous rendre assistés pour vous contrôler. Si chaque homme sur terre avait un terrain, qu'en ferait-il ? Les hommes et les femmes le cultiveraient et mangeraient le fruit de leur travail. Ils bâtiraient une maison, finiraient par faire du troc et échangeraient leurs connaissances. Ils se sentiraient utiles, retrouveraient le goût et le respect de la nature, des autres et d'eux-mêmes. Ils créeraient des villages autonomes où les supermarchés n'auraient plus leur place. Fini la surconsommation et par conséquent la pollution. Tout se créerait de vos mains. Vous seriez fiers et connectés à l'univers. Je ne dis pas qu'il faille renoncer aux nouvelles technologies, juste qu'il faudrait que vous les utilisiez au mieux. Il ne faut pas dénigrer ce qui peut apporter le confort. Votre système vous déshumanise et le cercle est vicieux car il vous rend aussi solitaire. Vous devez gagner de l'argent pour payer un toit au-dessus de votre tête, manger et payer vos factures. À côté de cela, un nombre incalculable de publicités passe devant vos yeux pour vous inciter à l'achat compulsif. Achat de produits qui ne servent à rien ! En général, vous n'avez pas assez pour acheter une maison, pour cultiver votre jardin et quand vous le pouvez, vous devez travailler pour payer votre crédit. Et cela n'arrête jamais ! Pour quelle finalité ?

Vous puisez dans le sol tout ce que vous trouvez et épuisez la planète. Vous polluez l'atmosphère. Vous tombez malades et votre médecine ne vous aide pas à guérir. Ce sont des maladies pour la plupart mentales. Vous n'avez pas notre science de l'univers et j'avoue, j'en suis heureuse car l'humain absorberait toutes les richesses de tous les sols qu'il trouverait. La terre change. Le climat change. Les pôles se déplacent. Il est temps pour vous de revenir à la source et cela passera par une prise de conscience de vos dirigeants, c'est là que le doute persiste. Il faut que toutes les personnes qui respirent sur Gaïa ouvrent les yeux et changent les choses même à un petit niveau.

ELUAN : Vous semblez touchée et investie sur notre sort. Plus que nous les terriens. Que faut-il faire ? Faut-il qu'avec mon équipe, nous allions les convaincre ?

LAHTANIA : C'est l'idée. Oui, je me sens investie par votre sort. Le réseau et les liens qui unissent l'univers aux êtres sont plus importants que ce que vous pouvez croire. Il vous dépasse et la mort d'une jeune civilisation, c'est-à-dire la vôtre, avec sa propre planète, nous concerne tous ! Peut-on laisser faire cela ? Vous faites partie de la toile. Tout est relié, ne l'oubliez pas. Votre perte pourrait avoir des conséquences dramatiques sur l'univers tout entier. Eluan, tu as été élu par l'ordre des anciens peuples. Tu as été choisi parce que tu as du sang Atlante et du sang Humain. Tu as été désigné parce que tu es de la descendance d'Ashlem. C'est à toi de continuer le combat et de convaincre les tiens. Tu te dois d'agir de toutes tes forces jusqu'à ton dernier souffle s'il le faut. Ton monde s'intoxique et suffoque. Je viens de te donner le sens de ta vie. À toi d'accepter ce rôle et de partir dans ce combat pacifiste avec ton équipe, choisie elle aussi pour mener à bien ces intentions.

ELUAN : L'univers m'a choisi ?

LAHTANIA : L'univers a un plan pour chaque entité vivante. Il crée et nous disposons. Nous oublions que nous sommes des canaux de l'univers. Tu es le lien premier et d'autres liens s'ajouteront au tien comme ton équipe et ainsi de suite.

ELUAN : Très intéressant. Cela veut dire que chaque individu est né pour une cause ?

LAHTANIA : Une cause non pour réaliser son œuvre, oui. Le problème sur votre terre c'est que les basses fréquences y abondent et que beaucoup d'entre vous perdent le sens de leur vie en chemin. Pour le retrouver, il faut vous reconnecter à vous-mêmes. Vous recentrer sur ce que vous êtes.

ELUAN : Comment savoir à quoi nous servons une fois reconnecté ?

LAHTANIA : Quand vous vous reconnectez à l'univers, à la lumière suprême, votre esprit est en éveil et vous entrez dans ce qu'on appelle de hautes sphères. Vous voyez alors les signes envoyés par l'univers car il vous accompagne. Vous pouvez même communiquer avec vos guides.

ELUAN : Comment procéder lorsque nous sommes préoccupés par notre vie au quotidien ?

LAHTANIA : Chaque seconde qui passe est importante. Chaque minute est merveilleuse. Chaque être est unique. Tout ce qu'un être peut vivre est parfait. Ce qui fait de chaque moment de la vie un miracle. Il faut vous souvenir de ce que vous êtes. Un être vivant sur une planète qui tourne au milieu de l'univers.

Rien d'autre ne peut avoir de sens. L'idée d'être là au milieu d'un tout infini devrait vous interpeller et vous suffire pour comprendre qu'il faut faire de chaque heure un instant sacré. Peu importe, l'endroit où vous vous situez, le travail que vous avez ou la situation dans laquelle vous êtes. Se connecter au réseau du beau ouvre des portes incroyables et inimaginables. Tout peut être changé, tout sans exception. Quand une situation ne convient pas, vous avez le pouvoir de la changer.

ELUAN : Cela signifie que dans cette quête, je pourrais être rejoint par d'autres personnes qui vont retrouver leur route et le sens de leur vie ?

LAHTANIA : Tu es la clef mais une clef ne suffit pas à ouvrir toutes les serrures. Tu seras aidé par des êtres qui ont déjà trouvé la lumière ou qui la trouveront en t'écoutant. Cette force grandissante fera changer la fréquence vibratoire de la terre en une haute fréquence d'énergie positive. Le peuple de la terre trouvera alors son éveil. De l'éveil viendra la renaissance. Un monde spirituel et nouveau prendra place. Tout est sacré et relié, tout change avec l'intention. Les bonnes intentions. Vous apprendrez au cours de ce voyage.

Les Atlantes sont devenus des créatures spirituelles et ont appris de leurs erreurs. Leurs âmes sont belles et pures. Leur connexion avec le ciel est réelle. J'apprends avec mon équipe plus ici sur Bilem que sur Terre. Ce voyage est initiatique. Je ne sais pas où il mènera mais il semble être un tournant important de ma vie. Tout ce que dit Lahtania coule de source mais ne me paraît pas facile à appliquer. J'espère apprendre. Il y a une phrase qui m'a parlé et je décide de me la faire tatouer juste en dessous de j'aime, j'agis et j'accepte. Celle-ci sera : tout est sacré, tout est relié. Tout change avec l'intention.

ARYM : Le continent bleu

« Nous arrivons sur Arym. On peut dire que ce continent est l'équivalent du Pôle Nord sur terre. La petite différence c'est qu'on l'appelle le continent bleu car sa glace est bleu clair presque turquoise. Il y a peu de population sur Arym. Ceux qui vivent ici aiment se retrouver dans des situations de solitude extrême et d'efforts physiques intenses. La plupart sont des êtres retirés. Il y a sur Arym une école de survie en condition réelle. Il y a des thermes car vous y trouverez des sources d'eau chaude. Ce continent de glace accueille les adolescents pour leur passage à l'âge adulte. Connaître des circonstances de vie intensive aide à apprécier ces petits riens qui nous offrent tant de confort et à mieux connaître la nature. Il n'est pas impossible qu'un Atlante y retourne plusieurs fois au cours de sa vie pour se souvenir du bien-être qu'il possède. Survivre sur Arym signifie qu'il faut une grande ouverture d'esprit, un ego oublié et une prise de conscience extrême. S'en sortir seul est un acte de courage et d'osmose avec la nature. Cela permet de remettre les idées au clair. Il y a plusieurs petites villes sur Arym : Ketam, Dortum, Pilim et Exilim. Il y a différents groupes de nomades qui y vivent et se déplacent. Les Aryméens sont carnivores. Ils n'ont pas le choix. Ils ne font aucun gâchis et ne consomment que ce dont ils ont besoin. Les animaux sont précieux et les Aryméens font une prière de reconnaissance à chaque fois qu'ils doivent tuer. Ils ont besoin de protéines sur ces terres froides. Ils cultivent sous serre grâce à la chaleur amassée par les cristaux. La chaîne montagneuse d'Arym est la plus longue de Bilem et va vous impressionner. Le plus haut sommet fait quinze mille mètres et s'étend sur dix mille deux cents kilomètres. Ce continent a une population de trente-cinq mille âmes pour une superficie d'environ cent trois millions de kilomètres carrés. Ce que vous pouvez apprendre ici c'est l'autonomie et la vie à travers vous. Les grandes étendues, le froid, le silence bruyant, le vent glaçant, vous feront vous sentir bien seul même entouré. Ces éléments rudes permettent une introspection sans pareille. Vous allez vous retrouver face à vous. Chaque être a besoin de cela. Tant que l'on ne se connaît pas, on ne sait pas où l'on va et ce dont on est capable. Je vais vous présenter au chef spirituel d'Arym, Eleb. »

Carnet de bord – Questions à Eleb – Lieu : Arym

Eleb est grand et costaud. Il ressemble à un trappeur venu tout droit d'Alaska. Cependant, ses yeux clairs et perçants attirent l'attention. Ils donnent l'impression d'avoir la lumière en lui. Ses rides renvoient à la dureté de la vie ici mais son sourire est apaisant et n'a aucun mal à traverser les âmes qu'il côtoie.

ELUAN : Vous êtes le chef spirituel d'Arym. Comment s'appelle le lieu où nous nous situons ? Quelles sont vos activités ici ?

ELEB : Nous sommes à Ketam. Juste derrière la chaîne de montagnes de Datila. Mes activités ? Je survis dans ce climat douloureux et difficile mais si bon pour mon âme, mon corps et mon mental. Je pêche, je chasse, je construis. Je prends le temps de m'ancrer à la terre. Je prends le temps de me relier à l'univers autant que je le peux. Nous comptons environ un millier d'habitants sur Ketam.

ELUAN : Comment vivez-vous cet isolement ? Est-ce un choix de votre part de vivre dans le froid et retiré de tout ?

ELEB : Retiré de tout dîtes-vous ? Je dirais plutôt au milieu d'un tout. Je suis proche de ce que j'aime le plus, la nature. Certaines âmes peuvent le vivre comme un isolement mais je ne me sens pas isolé. Je me sens riche. C'est mon équilibre que d'être ici. J'ai le sentiment d'être en vie et utile. Cette vie m'apporte tant. Je connais la valeur de chaque chose, j'apprécie le peu que j'ai comme si j'avais tout. Je peux partager le fruit de ma pêche, aider les autres à construire ou à réparer leur cabane de bois. En retour, mes amis sont là dès que j'ai besoin. Ils offrent des cours à mes enfants. Ils réparent mon Aeroscoot. Je suis proche de ces gens. Ils sont ma famille. Je les connais comme s'ils en étaient des membres. Connaissez-vous les résidents de votre ville ? Avez-vous des responsabilités envers eux ? Vous aident-ils en retour ? Êtes-vous heureux ?

ELUAN : Vous me retournez les questions. C'est votre vie qui m'intéresse.

ELEB : Votre vie m'intéresse également. J'aimerais que vous me répondiez ou posez-moi les bonnes questions.

ELUAN : Je vais jouer le jeu et répondre. Je vis à Rome quand je ne voyage pas. Il y a environ trois millions d'habitants. Il y a donc trop de monde pour que je connaisse chacune des personnes qui y vivent. Je suis reporteur et je relate la vie des autres par le biais de documentaires. J'ai cinq amis sincères et une mère formidable. Je ne profite pas de la nature autant que vous mais j'avoue qu'elle me manque. Je n'ai de responsabilités qu'envers ma mère. Je travaille pour gagner ma vie et me payer ce dont j'ai besoin.

ELEB : Merci pour vos précieuses réponses. Vous comprenez le bonheur que j'ai de vivre ici ? Je connais le froid et la douceur de mon foyer quand je rentre. J'apprécie la chaleur quand je la ressens. Je savoure quand un poisson mord à l'appât car c'est un repas pour un des miens. Je suis reconnaissant envers ce poisson de s'offrir à moi. J'ai de la gratitude. J'aime m'égarer dans les contrées lointaines d'Arym, dormir dans le froid avec un feu de bois et contempler les étoiles. J'éduque mes enfants pour qu'ils deviennent eux aussi des êtres responsables, rigoureux et heureux. Je suis éveillé. Je suis conscient de vivre ici et maintenant. J'aime ma femme et je l'aime plus fort chaque jour. J'admire les gens qui m'entourent car ils sont vrais et honnêtes. Je vis et j'existe pleinement. Je suis en osmose avec ce que je suis, et ce même si cette vie extrême n'est pas aisée, je mesure le bonheur qui m'a été donné. Je savoure chaque instant quand il n'est pas souffrance mais j'honore cette souffrance car elle m'a tout appris. La souffrance me rend plus fort et m'offre l'opportunité d'apprécier tout ce qui m'entoure.

ELUAN : Vos mots sont éloquents. Je ne pourrais pas dire que j'ai cette paix en moi et le bonheur que vous relatez. Je peux par contre dire qu'à Rome nous profitons de tout. La nourriture est délicieuse. Les vestiges sont des merveilles. Les gens râlent à haute voix. Ils s'expriment. C'est évident que je ne respire pas l'air sain qui est le vôtre. Je ne peux pas dire non plus que je suis heureux et conscient de tout. Je n'apprécie pas toujours ce que je fais ou ce que j'ai. Je ne connais pas la cause de ce mal être mais j'ai un vide en moi, je ne peux pas le nier. Je ne sais pas ce qu'est le bonheur mais je suis un être privilégié.

ELEB : Quand un enfant né, il est en état de grâce. Cet état ne devrait pas nous quitter. Nous grandissons et nous nous confrontons à la vie, à des critiques, des jugements. Cela s'ancre dans notre inconscient. L'inconscient protège et crée des réactions souvent négatives comme la peur, le manque. C'est ce que nous évitons sur Bilem. Nous ne voulons plus de négatif dans nos vies. Pour nous, le bonheur est simple, il est en chacun de nous mais il est en vous aussi, c'est juste un état d'esprit. Il suffit d'aller le chercher. Quel est ce manque dont vous parlez ?

ELUAN : Je ne peux pas répondre à cette question car au fond je ne sais pas ce qui me manque. Je n'en ai aucune idée.

C'est un ressenti profond. Une douleur poignante qui surgit du fond de mes entrailles et qui me handicape, je l'avoue.

ELEB : Venez partager des moments de vie dans mon village et sur mon continent. Je veux que vous compreniez qu'il faut parfois avoir mal et être éprouvé pour se sentir vivre, que la douleur fait partie intégrante de la vie et que cette dernière peut développer une force positive incroyable dans votre tête, dans votre corps et dans votre esprit.

Pablo me fait de grands signes de la tête pour me dire de refuser. Il ne supporte pas le froid. Paolina et Lisa ont l'air d'aimer l'idée. Ahmed lui, a le sourire. J'accepte donc la proposition d'Eleb. Râa me propose de revenir lorsque nous serons disposés à repartir d'Arym. La grande prêtresse pense être trop âgée pour supporter les conditions de vie difficiles d'Arym. Lahtania vivra ce moment avec nous, il s'agira de son septième stage sur Arym.

Carnet de bord – La vie sur Arym : la connaissance de soi

Nous sommes réunis dans la famille d'Eleb. Sa femme Eléa et ses deux filles nous accueillent. Eleb nous a concocté un emploi du temps sur mesure. J'ai hâte de m'immiscer dans son monde. Il insiste sur le fait qu'il faut que l'on vive l'expérience avec nos tripes et que nous ne devons refouler aucun des sentiments éprouvés. Il veut que l'on soit conscient du présent et disponible avec la tête, l'esprit et le cœur.

1) Apprendre les bases

Eleb souhaite nous apprendre les bases de la survie. Il nous a prêté des vêtements chauds qui ont été confectionnés par un habitant du village. Nous nous sommes rendus sur le lac gelé Desbrouess à une centaine de kilomètres de Ketam. Nous avons percé la glace et posé des lignes de pêches les premiers jours. Le travail a été long et minutieux. Chaque ligne devait être fixée de façon efficace sinon nous ne pourrions pas nous nourrir. La méthode de pêche d'Eleb est respectueuse de son environnement. Pas de filet, pas de pêche de masse. Des lignes tendues, un serre-poisson. Dès que le poisson mord à l'appât, une petite aiguille le frappe, une fois capturé, pour qu'il ne souffre pas. C'est rapide. L'animal n'a pas le temps de se débattre et de comprendre. L'objectif de notre mission est de constituer des provisions car nous nous orienterons ensuite vers les montagnes de Datila pour rejoindre un groupe de nomades. Nous dormons dans des igloos et j'ai appris à construire le mien avec l'aide d'Eleb. Je suis impressionné par notre facilité d'adaptation lors de ces premiers jours. Le groupe vit bien et accepte les tâches qui lui sont destinées. On peut dire que le temps a été clément. Pablo qui ne voulait rien entendre se découvre un côté aventurier. Il pêche, fait le feu, construit sa couchette et il sourit. Personne ne se pose de questions. Tout coule de source. Nous apprenons comme des enfants. Eleb nous enseigne le tir à l'arc. Il nous a montré comment en construire un avec une pointe de cristal. Nous devons chasser le petit gibier. Eleb va nous initier au pistage lors de notre trajet vers les montagnes. Une marche douloureuse et une longue route nous attendent. Eleb refuse de parler de temps et ne nous donne aucune indication. Il dit que le temps ne se mesure pas et que le soleil est notre seul point de repère. Les gibiers de Bilem ne ressemblent pas à ceux de la terre. Il y a des concordances mais l'aspect est peu commun. Sur Arym, les lapins n'ont pas d'oreilles apparentes et ressemblent à une boule de poils blanche. Il est compliqué de les apercevoir tant leur pelage se confond avec la neige. Ce sont leurs yeux qui les trahissent, ils sont d'un vert lumineux. Ces petites bêtes, c'est certain, se retrouveraient vite enfermées dans des cages pour le bonheur des enfants, si elles vivaient sur terre. Ici, elles sont libres, bien que chassées de façon modérée pour leur bonne chair. Nous n'abattrons pas d'animal trop gros. Inutile. Le but n'est pas d'avoir une surcharge mais plutôt de quoi manger pour passer la montagne. Nos provisions suffisantes, nous approchons petit à petit d'un mastodonte. C'est époustouflant. La hauteur de ces montagnes dépasse tout ce que nous connaissons. Nous sommes minuscules face à ce monstre interminable mais de toute beauté. Chacun de nous prend le temps d'admirer ce paysage inédit qui nous transperce le corps et le cœur. Il faut remettre les choses à leur place, nous sommes si petits face à la nature et le but est de s'adapter à elle. Les bases, ce qu'Eleb voulait nous enseigner, c'est de savoir se fondre dans ce qui nous entoure et accepter ce que l'on a pour faire avec. C'est simplement se nourrir, se réchauffer pour ne pas entrer en hypothermie et pouvoir se déplacer. Ce sont des éléments essentiels à la survie. Tout le reste, les paysages dont nous sommes témoins, l'enseignement d'Eleb sont des avantages dont nous devons jouir et apprécier la valeur. C'est une richesse que l'on oublie lorsque l'on a tout. C'est ainsi que le bonheur peut ne jamais prendre place car nous ne sommes pas conscients de ce dernier alors que nous possédons plus que ce dont nous avons besoin. Nous sommes des êtres riches de tout et nous n'en avons jamais assez.

2) Entrer en soi

Nous souffrons. Nous avons commencé à gravir la montagne. Le rythme de nos pas est lent, lourd et quasi désespéré. Nous arpenterons la montagne par le col le moins haut. Les regards de mes compatriotes commencent à changer. Le froid aride, les longues marches et la nourriture peu variée ne nous encouragent guère. Le vent est glaçant et immobilisant. Notre confort habituel est mis à mal. Je crois que l'on commence à rêver d'un retour dans ce dernier. Si l'on survit à cette épreuve, on s'est promis de profiter de l'instant présent. On s'est aussi promis de savourer la vie. Je ne sais pas si l'on se le rappellera en temps voulu. Les meilleurs moments sont le soir près du feu. La viande grillée et les tisanes de plantes nous réchauffent le corps. Nous apprécions la moindre source de chaleur. Nous nous accrochons à ces petits riens pour tenir le coup. Même si l'envie de pleurer nous prenait, aucune larme ne pourrait sortir sous ce climat polaire. Nous commençons à nous replier sur nous-mêmes et tentons d'aller chercher la force nécessaire pour ce périple exigeant. Le mental nous joue des tours. Le mien me crie d'abandonner et de rentrer chez moi. J'essaie de ne pas l'écouter mais l'épreuve est compliquée. Je lui dis de se taire mais il continue de m'asséner de paroles contre-productives. Mon mental est mon ennemi, je vais le combattre jusqu'au bout. J'espère y arriver. Eleb nous a prévenu de la difficulté d'affronter ces montagnes. Il nous dit de faire le silence dans notre tête afin de garder des forces. Il dit qu'on est capable de le faire et que la patience sera notre meilleure amie. Eleb nous promet quelque chose d'exceptionnel au sommet. Pablo et Paolina se rapprochent. Il la protège et ne se plaint plus. Je pense qu'ils tombent amoureux mais aucun des deux n'ose l'avouer. Cet espace vide et infini devient pesant mais les visages commencent à se détendre au fur et à mesure que nous avançons. Sommes-nous en train d'accepter la douleur ? Et de trouver la paix intérieure ? Sommes-nous en train d'apprendre à nous connaître nous-mêmes et de mesurer le courage que nous sommes capables de générer dans la dureté de ce périple ? Est-ce cela le travail spirituel ? Faut-il souffrir pour se sentir vivre ? Je n'ai pas de réponse claire à mon questionnement. Je ressens l'harmonie et l'équilibre entre mon corps, mon mental et mon esprit. J'ai mal partout mais je me sens bien. Je ne pense plus à rien, j'ai la cervelle figée et ça me délivre. Mon mental s'est tu, c'est un bonheur extrême. Mon seul objectif est de tenir la seconde qui arrive. Eleb est dans son élément. Rien ne semble difficile pour lui. Il sourit sans raison. Quand je lui demande pourquoi il arbore un sourire systématique, il répond qu'il est heureux de nous aider dans notre quête et que la montagne lui ouvre des perspectives différentes. Je ne sais pas depuis combien de temps nous grimpons sur cette montagne mais j'ai compté trente levers de soleil puis j'ai arrêté. Eleb a raison, à quoi ça sert de définir un temps ou le temps ? Le tout est d'atteindre l'objectif. Le temps est fait pour créer la peur. Il n'existe pas en réalité. Il est éphémère. Aujourd'hui est aujourd'hui et demain n'est rien. Et aujourd'hui, j'aperçois le sommet. Contempler les étendues de neige en contrebas, de cette hauteur vertigineuse, me laisse sans voix. Le paysage est sensationnel. Avoir atteint la petite cime de Datila est une grande fierté. Toute l'équipe est soulagée et détendue. Nous n'avions jamais vécu une expédition d'une telle intensité physique. Ce fut une expérience emplie de doutes, de craintes et de blessures mais au final nous avons atteint ce que j'appellerais le nirvana tant le soulagement est immense. D'un regard, Eleb nous fait comprendre que c'est cela l'exceptionnel. Ce sentiment d'être allé au bout et d'avoir tout donné. Voilà la récompense. C'était de comprendre que le corps n'a aucune limite si ce n'est les limites que l'on se crée avec la tête. Le corps est capable de tout si le mental ne prend pas le dessus, que l'esprit grandit et le régit. Nous avons changé notre vision que nous portons sur nous-mêmes. L'humilité nous permet de nous dépasser. Nous sommes restés unis et forts ensemble. Nous avons mis tout notre cœur dans cette entreprise et le bonheur d'être arrivé au bout est indicible. Donner même dans la souffrance c'est s'assurer de récolter de l'amour en retour. Je n'ai aucun regret car en ne déviant pas du chemin, j'ai reçu la plus belle des récompenses et mes amis semblent partager cet avis. Eleb me dira ces mots précieux : « l'esprit est celui qui doit te guider ». J'ai compris que notre combat en tant qu'être humain était la dualité entre le mental et l'esprit. L'esprit est pur et le mental le parasite. Je crois que ce doit être là le combat de l'humain, se libérer de son mental. Lorsque l'on pense avec l'esprit alors tout devient réalisable. Il faut converser avec soi de façon à n'entendre plus que sa propre voix et son propre cœur. Eleb me signera son doux conseil sur l'avant-bras. Je suis un homme neuf et je suis un homme libre.

3) S'ouvrir au monde

Nous sommes redescendus de la montagne vers la vallée des Mampy pour rencontrer les nomades. Le chef nous a accueillis avec enthousiasme. Des huttes en bois ont été disposées sur un large périmètre et je remarque que tout a été mis en place pour célébrer. Ce soir, c'est la nuit des légendes. Nous sommes préparés et maquillés par les hommes. Les femmes dans la tribu des Mampys sont décisionnaires. Elles sont consultées à chaque fois qu'une solution doit être trouvée ou qu'une décision doit être prise. Il semblerait que nos tenues leur conviennent à l'unanimité. Les enfants sont instruits. Les Mampys sont fins d'esprit. Le chef m'explique que leur liberté leur permet de développer des facultés plus grandes. Ils sont certes obligés de subvenir à leur besoin et y passent un temps important mais cela n'est jamais vécu comme une contrainte. Ils ont des groupes de discussion et de pensées qui leur permettent de s'ouvrir aux autres et aux différents mondes. Ils apprennent d'un petit rien, d'une histoire, d'un fait. Ils sont réceptifs à des cultures différentes. Ils apprennent et aiment instruire. Les Mampys se contentent de peu et se satisfont de tout. Pouvoir manger les ravit. Se procurer du bois pour ériger une cabane est une bénédiction. Se lever chaque matin et méditer sur les terres d'Arym est vécu comme un miracle. Ils ont de la gratitude et remercient le ciel et les esprits qui les accompagnent. Ils ont conscience de la richesse qui les entoure et dont ils jouissent. Ici, malgré les températures rudes, tout respire le bonheur et la joie. Les Mampys ont des visages apaisés et détendus. Les gestes sont calmes. Le soleil entame sa descente pour se coucher et nous devons rejoindre le cercle de feu. Tous réunis à l'intérieur, le chef commence son récit. Les enfants ont les yeux écarquillés et le sourire aux lèvres.

« Loin, très loin de Bilem sur un petit monde appelé Dembate, la terre des âmes nouvelles, les Mampys se sont échoués à l'aube de l'horreur sur la grande planète Atalum. Ils ont beaucoup travaillé, ils ont reconstruit et voyagé. La lune était rouge et le soleil brûlait les peaux. Des animaux abominables réveillaient la tribu lors de longues nuits interminables. Le feu protégeait les Mampys. Les Dembat, peuple de Dembate, craignaient les Mampys mais ils ne leur voulaient pas de mal. Un beau matin, la femme du chef des Mampys donna naissance à Bili. Une jolie petite fleur à la peau mate, aux cheveux noirs et aux yeux verts. Les Mampys étaient surpris car leur peau est blanche et leurs cheveux blonds. Ils ne voulaient pas de cet enfant différent. Quand elle a eu l'âge d'être autonome, Bili a été exclue de son clan. Ses parents ont été dévastés par la douleur mais Bili était courageuse. Elle avait tiré ça de sa différence. Elle rassura ses parents et s'en alla. Elle fut acceptée par le peuple Dembat et devint une femme importante mais cela ne suffisait pas à Bili. Elle voulait un peuple qui lui ressemble. Elle tomba amoureuse du prince Elio, jeune Dembat, et ensemble, ils entreprirent de chercher une nouvelle terre. Elio et Bili ont exploré et cherché pendant de longues années. Ils ont changé de monde et ont posé le pied sur une île magique et paradisiaque. Sur cette île vierge de tout, Bili a commencé à s'aimer telle qu'elle était. En réalité, elle était d'une grande beauté. Elle ne le savait pas car elle n'entrait pas dans les critères voulus par les Mampys. Elle donna naissance à plusieurs enfants et devint Reine de son petit royaume. La vie est passée tel un souffle et Bili s'en est allée, tel un ange, dans les profondeurs de l'univers. Longtemps, très longtemps après sa mort, un explorateur Mampys posa le pied sur l'île de Tahiti, sur la planète Terre. Il entendit parler de Bili, l'ancienne reine et connaissait l'histoire de Bili. Il n'en revint pas ! Les Tahitiens étaient le fruit de l'amour entre un Dembat et une Mampys. Il s'empressa de conter cette histoire à son peuple et depuis ce jour, nous les Mampys entretenons des relations intenses avec les Tahitiens. De sa différence, Bili a su faire sa plus grande force. De sa force est né, un nouveau peuple. Ce peuple est la descendance de Bili. Si un Mampys naissait avec les cheveux verts et la peau rouge, aimez-le comme votre frère car la force d'un Mampys n'est pas sa couleur de peau ou de ses cheveux mais bel et bien son cœur. »

Après cette histoire enchanteresse, nous avons dansé et chanté sur des rythmes Mampys. Je leur suis reconnaissant de m'avoir offert un peu de leur culture. Quand je regarde les yeux de mes camarades d'aventure, je peux soupçonner ce qui se passe dans leur cœur. Quelle folie ce voyage ! Quelle vie merveilleuse ! La foi s'installe en moi. Je crois en tout et en rien à la fois mais en un tout indescriptible. La vie ne s'arrête pas à ce que l'on voit. Je crois que j'ai compris une chose essentielle à mon évolution cérébrale. Plus rien ne me touchera car rien n'est important. Ce qui compte c'est le partage et la nature. C'est l'amour que l'on donne et que l'on reçoit. C'est ce que l'on fait et ce que l'on ne fait pas. Il faut accepter que certains ne vibrent pas à une fréquence similaire à la nôtre. L'amour est tout ce que l'on peut donner aux autres car il est gratuit mais nous devons nous entourer de gens qui nous tirent vers le haut. On ne peut pas stagner, cette vie doit être un mouvement permanent. Tout ce que j'ai vu m'a ouvert et mon cœur respire enfin. Je crois que je viens de naître ou bien que l'on vient de me faire un massage cardiaque pour me réanimer d'une vie dans laquelle j'étais mort. Mes sens sont décuplés, mes yeux voient au-delà de ce qu'ils peuvent voir. Mon cœur domine, mon esprit m'oriente quant à mon mental, lui, je ne l'entends plus. Avant de repartir, Eleb a tenu à savoir si j'avais toujours cette sensation de manque. La réponse a été claire. Je n'avais plus ce manque. Je viens d'éclore, j'ai tout à apprendre. Je veux que cet état de grâce reste en moi. Je veux m'émerveiller de tout et paraître illuminé. Je souhaite juste vivre au fond et avoir conscience que chaque bouffée d'air qui entre en moi est une faveur que l'on me fait.

Touka : la nature, mère de toute chose

Râa est venu nous chercher chez les Mampys. Le départ a été douloureux mais comme me l'a dit Eleb « rien ne s'oublie, tout se construit et s'unit ici et là ». Nos énergies sont connectées et le resteront. Râa reprend les commandes de l'expédition.

« J'espère que vous avez pu vous enivrer du savoir d'Eleb et que le silence des montagnes vous a été profitable. Touka est un continent au climat tempéré. Vous allez retrouver des couleurs. Voyez-vous cette masse d'arbres verts et lumineux ? Il s'agit de la plus grande forêt de notre planète. Touka est le territoire le plus dense de Bilem. Les villes et les villages sont construits dans les arbres. Du ciel, vous ne pouvez pas apercevoir les habitations. Leur système de vie se déroule en hauteur. Les Toukanes ne descendent des arbres que pour profiter, pour se balader et avoir accès à leurs activités physiques. C'est la particularité de ce continent, aucune construction n'est apparente. Tout est implanté dans la nature. C'est un pur chef-d'œuvre. Les Toukanes ont une relation exclusive avec la nature et connaissent le monde de l'impalpable comme personne. Sur Touka, la vie est un tourbillon de magie. Le chef de ce continent est Ramupi. Il est celui qui communique avec l'invisible. C'est de lui qu'est venue l'idée d'enchevêtrer les maisons avec les arbres et de laisser ainsi respirer le sol, les animaux vagabonder en toute liberté. La faune et la flore sont entretenues mais poussent librement. À Touka, les gens se nourrissent de végétaux et de céréales. Sur Bilem, chaque continent à un mode de vie distinct. Les êtres, ici, sont libres d'aller et venir, de s'installer où ils veulent. Là, où ils se sentent le mieux. »

En effet, ça à l'air vide de toute vie. Du ciel, on aperçoit des arbres à n'en plus finir, bordés par un océan rose pastel et des plages de sable. De l'autre côté, c'est le contraste. La mer est bleu turquoise. On discerne même un dégradé de couleurs à la jointure des océans, là où s'invite la mer de Thyre.

Carnet de bord – Questions à Ramupi – Lieu : Touka

Ramupi a un physique atypique. Je peux ressentir qu'il est branché sur une autre fréquence vibratoire. Ses cheveux sont très longs et très noirs. Ses yeux d'un bleu presque violet. Son visage est fin et quasiment féminin. Il est longiligne. Il inspire confiance au premier regard.

ELUAN : Ramupi, tout d'abord merci de nous recevoir. Je tenais à vous dire que l'architecture de Touka à l'air hors du commun vue du ciel. Comment cette idée vous est-elle venue ?

RAMUPI : Parfois, les évidences ne sautent pas aux yeux et pourtant une évidence est une évidence. Il faut savoir l'accepter quand elle est sous votre nez. Quand Râa, la Grande Prêtresse m'a confié Touka, je m'y suis rendu et j'ai attendu. J'ai erré dans les bois. J'ai ressenti les odeurs. Observé. J'ai vu. La lumière est apparue. Pour ne pas manquer de respect à la nature, il fallait s'adapter. Ce n'était pas à elle de nous accepter mais à nous futur peuple de Touka de nous fondre en elle.

ELUAN : Votre œuvre est sublime. Pour des terriens comme nous, c'est un rêve que nous ne réaliserons peut-être jamais. Comment vivez-vous sur Touka les uns avec les autres ?

RAMUPI : Comme partout ailleurs sur Bilem. Nous vivons avec simplicité. Nous sommes reconnaissants car nous sommes riches de tout. Savez-vous Eluan que les rêves sont faits pour être réalisés ? Il faut y croire parce que si l'on se résigne à ne plus rêver, rien n'arrivera. Un individu qui rêve grand peut amener avec lui tout un peuple. Quand bien même, le rêve ne se réalise pas, il vivra une belle expérience pour la suite de son aventure et de sa vie. Rêvez et ne cessez jamais de le faire. Je n'aurais pas cru pouvoir réaliser ce que vous voyez sur Touka. Chaque individu a eu son importance et un rôle à jouer. Ces hommes et ces femmes ont apporté leur pierre à l'édifice de Touka. Ils ont fait partie de mon rêve et mon rêve est devenu le leur. Ensemble, nous avons assemblé nos énergies pour en faire une force positive et un résultat merveilleux. Vous avez devant vos yeux des habitations en parfaite harmonie avec la nature. Si vous semez un rêve et que vous visualisez cet idéal, il aboutira et vous rencontrerez les bonnes personnes au bon moment. Le rêve porte les âmes et sublime les êtres.

ELUAN : Vous me parlez avec tant de convictions, je trouve ça remarquable. Où puisez-vous cette force ? J'ai l'impression qu'avec vous tout est réalisable. Il se peut que l'on ait envie de réaliser d'immenses rêves ou projets mais que l'on ne puisse pas aller au bout.

RAMUPI : Pourquoi ne le pourriez-vous pas ? Vous avez une bonne constitution physique. Vous m'avez l'air d'être intelligent et rusé. Votre esprit est malin. Si votre envie est réelle et que vos pensées, vers ce rêve, sont positives alors vous aurez envoyé la bonne énergie pour le réaliser. S'il ne se réalise pas, c'est que votre intention n'était pas la bonne ou que vous vous êtes mal entouré.

ELUAN : De ce que j'ai pu apprendre sur Arym, je suppose que c'est le mental qui est un frein chez l'être humain ?

RAMUPI : Oui. Vous avez cette faculté à vous surcharger de pensées. L'être humain pense sans s'arrêter. Il doute par la pensée, il se torture, il est confiant ou fébrile. Il est joyeux ou triste. Passionné ou démotivé. L'être humain est en contradiction permanente. Qu'est-ce qui empêche l'Homme d'avancer ? Son mental. À l'instant même où la pensée négative ou positive a été déclenchée, vous entrez dans une sorte de spirale. La pensée négative vous renverra à une situation néfaste ou à une épreuve compliquée. Elle peut vous enfermer dans les abîmes et à une descente extrême vers les profondeurs. La pensée positive amènera des opportunités nouvelles mais faut-il encore suivre son instinct pour les concrétiser. La pensée ne peut pas être maîtrisée par contre elle peut être observée et acceptée. Il faut la laisser passer mais on en prenant conscience. La pensée est machinale chez l'homme. Examiner ses pensées c'est comprendre ce qui se passe dans votre cerveau. Si vous vous surprenez à avoir des pensées péjoratives et que vous les acceptez, vous pourrez les comprendre et les faire disparaître. Quand ces ondes à basse fréquence ne cessent de vous envahir, il faut travailler sur vous-même. Quand vous arriverez à faire cesser ce bavardage intérieur, vous commencerez à être en communion avec l'univers. C'est une question d'observation de soi.

ELUAN : J'ai tendance à dire qu'il faut s'entourer de positif pour amener le positif. Je sais que l'intention que l'on donne à une pensée peut amener à ce qui nous arrive dans la vie. Comment et par quelle méthode agissez-vous ?

RAMUPI : C'est inné pour nous. Nous sommes élevés de façon optimiste dès la naissance. Vous avez rencontré d'autres chefs avant moi. Personne ne se plaint et chacun accepte et aime ce qu'il a. Sur Touka, nous donnons un sens à la méditation et à la communication avec nos guides spirituels. Nous écoutons aussi le silence. C'est pour nous un rite au quotidien.

ELUAN : Est-ce que le silence ou la méditation peut-être une des clés pour réaliser ses rêves ?

RAMUPI : Le silence est la clé pour se comprendre, vous l'avez expérimenté sur Arym. Il est, avec l'intuition, celui qui vous permet de trouver le bon chemin. Si vous écoutez le silence plus attentivement dans la pratique de la méditation par exemple, alors peut-être que vous entendrez ces petites voix intérieures, que l'on appelle nos guides. Vous distinguerez ces guides de votre mental avec la pratique. Quant aux rêves, on les appelle rêves parce que l'on pense qu'ils sont inaccessibles. Tout est possible. Tout est réalisable. La seule limite est la limite que mettra votre mental à vos ambitions. Lorsque vous réussissez à équilibrer votre corps avec votre esprit, vous vibrez à un niveau supérieur. Lorsque la fréquence vibratoire est supérieure vous vous harmonisez avec l'univers. Et là, c'est le miracle.

ELUAN : Je suppose que lorsque vous trouvez l'harmonie, vous trouvez la paix ?

RAMUPI : Oui. Vous n'avez plus besoin de rien. Vous êtes et c'est tout. L'ennemi de l'homme est l'homme lui-même car il est incapable de sortir de ses réflexions sombres et inefficaces par la même occasion. Reconnecter l'homme à sa spiritualité naturelle le fera vibrer à haute fréquence. Tout ce, à quoi vous croyez s'effondrera. Votre monde retrouvera son sens. Immergez-vous parmi nous sur Touka, j'aimerais que vous compreniez et que vous pratiquiez.

ELUAN : Mon équipe et moi-même serions heureux d'apprendre des Toukanes.

Carnet de bord – Touka, forêt des rêves : l'harmonie

1) La remise en question

Ramupi nous a installés dans une luxueuse maison perchée, accrochée à un arbre robuste et majestueux. La cité s'appelle Bishtram. En Atlante cela signifie « la forêt des êtres éveillés ». Nous dominons le paysage sur notre arbre de résidence. La vue est captivante. Je m'imagine déjà me lever le matin et admirer le tableau qu'offre la nature. Sentir l'odeur des arbres, écouter les oiseaux chanter, entendre le vent dans le feuillage… La nature est notre environnement le plus direct. Mon mental me rattrape vite. Des images de Rome défilent devant mes yeux, je peux respirer l'odeur des pots d'échappement, je sens les fragrances des caniveaux, j'entends sonner les klaxons, les gens crier derrière leur volant et le bruit des travaux. Je secoue la tête pour revenir à moi. Tout ça ne me manque pas et je rêve d'un changement flagrant qui ferait que chaque âme sur terre soit heureuse et apaisée. J'aimerais que les guerres cessent et que chacun puisse manger à sa faim. Au fond, je crois que c'est ce qui me réjouirait le plus. Pablo m'a confié qu'il n'avait plus très envie de retourner sur terre et Paolina est dans le même état d'esprit. Lisa et Ahmed ne se posent pas trop de questions. Ils préfèrent savourer l'instant présent. Lahtania me confesse que les terriens sont de jeunes âmes et que c'est pour cela que nous avons du mal à ancrer dans notre esprit que Gaïa pourrait disparaître. Elle dit que même si nous savons qu'il faut préserver notre environnement naturel, nous n'arrivons pas à faire l'effort car tout cela est abstrait pour nous. Elle pense qu'il faut que l'on élève notre niveau de conscience à des degrés supérieurs et que c'est le but de notre venue sur Bilem. Nous, êtres humains, ne pensons pas à la future génération, nous sommes centrés sur nous-mêmes et sur notre besoin de consommer, d'acheter, de vendre et de paraître. Voilà ce qui nous porte et ce qui nous tue. Car le système est ainsi et que seul, nous n'en sortirons pas. Nous ne sommes pas loin de perdre la terre et j'avoue, j'ai peur car nous ne serons pas en mesure de coloniser un autre monde. Non, c'est pire que ça. Nous resterons sur notre planète et nous agoniserons avec elle. Et puis, quand notre mère la terre l'aura décidée, elle en finira avec nous. Elle se ressourcera et respirera à nouveau. Nous sommes l'espèce la plus menaçante pour les autres. Nous avons exterminé des espèces animales à profusion. Nous tuons pour le plaisir d'exhiber un trophée, les lions, les éléphants ou les girafes sont des cibles de choix. On s'indigne mais que faisons-nous ? Nous créons des bombes à retardement. Nous ne sommes même pas capables de démanteler une centrale nucléaire. Nous faisons sans savoir défaire. Je me rends compte des horreurs que nous avons commises et des catastrophes qui ne tarderont pas à arriver. Que dire des maladies nouvelles que l'on génère et des anciennes ? À nous croire supérieurs à tout, il faudra bien qu'un jour nous comprenions que nous ne sommes que poussière, un rien sur une planète en rotation au milieu d'un univers incommensurable. Tout cela s'éclaire dans mon esprit et je suis en éveil, conscient. Ce qui me rend triste c'est que je n'ai aucune solution pour sauver mes frères humains d'eux-mêmes et de leurs actes. Comment agir ? Mes pensées s'emballent et ce moment de clairvoyance fait que je ne trouve pas le sommeil. Réfléchir, est-ce là une solution ?

2) Rien n'est matière

Je me suis endormi le cœur serré. Éveillé et clairvoyant. Le mal a été semé, il faudra récolter. C'est une analyse qui fait mal. Ramupi m'a surpris, angoissé et peiné. Nous avons beaucoup échangé. Il m'a demandé de rester positif. En toute chose, il y a du bon m'a-t-il dit. Je veux le croire. Il a prévu un programme particulier pour nous. Nous allons explorer le continent de Touka avec un moyen de transport particulier : un Viltrel. Une sorte de vélo sans roue qui fonctionne grâce à notre action sur les pédales ainsi qu'à l'énergie solaire que les cristaux récoltent. Aucun bruit, aucune pollution. Après un court entraînement qui nous permet de prendre en main le Viltrel, nous partons sur les routes en direction de la plage la plus proche de Bishtram. Nous campons à la belle étoile et nous profitons de la chaleur pour nous baigner. Ramupi prend le temps de nous écouter et de nous conseiller. Il aimerait que l'on ouvre notre potentiel spirituel et nous invite à changer notre vision des choses. D'essayer de tirer le positif de toutes les situations. Il dit qu'il ne faut pas se focaliser sur le mal, que le mal engendre le mal et que l'énergie déployée à pester contre quelque chose ou quelqu'un est une onde de choc envoyée directement à l'univers comme une intention. À l'inverse, lorsque l'énergie positive est déployée l'onde est plus puissante et les retours sont d'une intensité plus grande. Il nous demande de réfléchir à cela. Il pense que nous avons du mal à concevoir une force supérieure parce que c'est de l'ordre du surnaturel et que nous n'y sommes pas habitués. Il nous tiendra ce discours précis :

« Essayez de croire en tout ce que vous ne voyez pas. Tout est un champ énergétique autour de vous, rien n'est matière. Vous pouvez prendre ce sable dans vos mains, le faire glisser le long de votre paume et de vos doigts, vous ressentez ? Enlacez une femme, un homme dans vos bras, touchez sa peau, vous concevez ? Pourtant, tout cela n'est rien d'autre que deux champs énergétiques qui s'entrecroisent. Quand vous fermez les yeux, vous pouvez imaginer et ressentir cela. Les éveillés le voient. C'est ce que j'aimerais vous inculquer. Je voudrais que vous repartiez d'ici en voyant l'énergie qui se dégage des formes et des objets. »

Il nous demande ensuite de garder le silence et d'observer tout ce qui nous entoure, nos pensées, le paysage ou encore l'expression des visages. Nous jouons le jeu et repartons au cœur de la forêt sur nos vélos. Nous campons, repartons et contemplons. Chacun tient sa promesse de mutisme et nous communiquons de mieux en mieux par de simples gestes. Nous continuons ce rituel jusqu'à notre arrivée au lac salé où Ramupi reprend enfin la parole et nous délivre.

« Les mots sont importants. Pourquoi ce silence ? Pour que vous preniez conscience qu'il faut parler pour être concret. Il y a trop de bavardages incessants sur votre planète pour si peu d'action. Regardez autour de vous, prenez conscience, parlez pour offrir, ne parlez pas pour ne rien dire. Souriez. Exprimez votre joie à travers le regard. Un mot peut changer le monde et peu détruire aussi. Pesez les mots. Ne soyez pas si sérieux avec eux. Faites les bons gestes car un geste peut ouvrir un cœur déçu. Soyez à l'écoute de tout. Observez ce qui vous entoure car l'observation est un art. Devenez l'acteur de votre vie. »

3) Méthode Ramupi – Méditation par la nature

Ramupi poursuit ses enseignements. Parmi ceux-ci, la méditation par la nature. C'est ainsi que nous pourrons voir et concevoir l'énergie en pratiquant de façon régulière, rigoureuse et appliquée. La formation est poussée et la concentration extrême. C'est d'une voix posée que Ramupi nous guide.

« Assis près du végétal ou contre le végétal de votre choix, essayez de ressentir le fluide qui passe en lui pendant quelques secondes, en fermant les yeux. Ressentez la vie qui le traverse. Inspirez quand il inspire. Expirez quand il expire. Prenez le temps de l'entendre. Calmez-vous. Ne soyez pas pressés. Écoutez votre cœur battre en vous et à travers le végétal. Connectez le sommet de votre crâne à la source créatrice : l'univers. Imaginez ce fil blanc conducteur qui vous relie à lui. Voyez toute l'énergie traverser votre corps. Vos pieds sont nus sur le sol, ils sont la racine. Vous êtes en contact avec la planète mère. Vous prenez l'énergie positive par le haut du crâne et vous vous enracinez à la terre avec la plante des pieds. Vous êtes maintenant connectés à la source. Vous êtes ce végétal : un arbre, une fleur, l'herbe sous vos pieds… Votre tête est univers, vos pieds sont la terre. Vous êtes le bien. Vous êtes la lumière. Vous êtes présent, à cet instant, complice avec l'élément choisi. Vous êtes lui, il est vous. Son fluide et votre fluide se confondent. Sa sérénité passe par votre corps. Nul besoin de plus que cela, à ce moment précis. Grandissez-vous, élevez-vous, soyez-vous. Le végétal sait ce qu'il doit faire et vous savez ce que vous devez faire. Laissez aller, lâcher prise. Votre respiration est calme. Restez en contact autant qu'il le faudra avec le végétal totem et ouvrez les yeux quand la paix aura envahi tout votre corps. Répétez cette phrase : « Je suis amour, je suis lumière, je suis la terre et l'univers ». Laissez ces mots vous pénétrer et vous emporter. Écoutez les bruits de la forêt qui vous rappelle ce que vous êtes. Ancrez-vous dans la terre. Vous êtes un tout, un être sacré et précieux. »

À chaque lever de soleil, nous réitérons ce rituel. Notre regard capte des couleurs intenses. Tout est plus éclairé, plus lumineux. Nous fusionnons avec la nature. La méditation nous aide. Nous commençons à percevoir une forme autour des êtres, des animaux et des végétaux. C'est donc cela, l'énergie. Il suffit de rester concentré quelques secondes pour la percevoir. Il n'y a rien de plus fort que d'être en accord avec son soi supérieur. Nous sommes en train de franchir un cap important de notre évolution spirituelle. Nous apprenons à ne plus sombrer dans les méandres du mental. La méthode est efficace, nous saurons nous recentrer lors de notre retour sur terre. Nous en aurons besoin. Notre monde est parasité et pourrait nous perturber à nouveau, si nous ne travaillons pas dur sur nous-mêmes.

4) Vis ce que tu es

Nous avons trouvé la paix intérieure. Ce séminaire en pleine nature, nous a revigorés et réénergisés. Ramupi a su convaincre chacun de nous de s'exprimer tel qu'il est. Sur terre, nous sommes formatés pour penser. Nous sommes submergés d'images subliminales et de mensonges médiatiques. Les écrans font partie intégrante de nos vies. Nous répétons ce que nous voyons. Nous répétons un schéma de vie dont on ne veut plus. Ramupi a pris l'exemple du mariage pour m'expliquer la folie des idées reçues. Il n'a pas tort. Un beau jour, on rencontre une personne que l'on aime et nous décidons de nous marier. Nous faisons des enfants parce que c'est la norme et puis nous finissons par acheter une maison et une voiture plus spacieuse. Nous adoptons un chien ou un chat. Nous travaillons dur pour payer tout ça. La routine s'installe, la fatigue aussi. Le couple n'a plus de passion. Les enfants sont épuisants. Nous nous sentons prisonniers et enfermés. Ce schéma de vie est défini dès notre naissance. Les mentalités sont formatées pour cela. Quand une personne sort des sentiers battus, elle est jugée, jaugée et critiquée. Elle est anormale. Tout cela est faux. La vie doit devenir ce que nous voulons qu'elle soit comme nous l'entendons. La vie doit être heureuse et non prédéfinie par les autres. La liberté d'agir et d'être est donnée à chaque humain dès la naissance. Nous devons utiliser cette possibilité sous peine de gâcher sa vie. Je viens de le comprendre. Je retranscris ici les propos de Ramupi :

« L'être est libre. Dès sa naissance, il respire la liberté. Je vais vous avouer quelque chose. L'univers n'a aucune limite. Tout est possible pour celui qui s'assume. Soyez-vous. Ne restez pas figés avec vos idées préconçues ou avec des schémas de vie tout tracés. Qu'est-ce qu'il y a en vous ? Avez-vous peur du regard des autres ? Pourquoi ? Pourquoi avoir peur du jugement ? Le seul jugement qui compte est celui que vous portez sur vous-même car vous seul devez être fier de ce que vous êtes. Votre image vous appartient. Ceux qui jugent n'ont pas le pouvoir. La vie est une aventure unique et prestigieuse. Quand on a le luxe de vivre, il faut libérer son plein potentiel, sans peur, sans honte. Si vous voulez chanter à voix haute dans la rue, alors chantez ! Dansez, souriez ! Soyez le fou heureux. Aimez-vous et aimez les autres malgré les failles. En étant vous, vous guiderez les autres sans le vouloir, vous serez l'exemple. Ceux qui jugent ont peur. Ceux qui sont, n'ont plus de craintes. Je vais vous dire un secret. Lorsqu'arrivera votre dernier souffle, c'est seul que vous affronterez ce voyage et les autres, mêmes présents, ne pourront rien y faire. Il faut donc mener cette vie seul, sans oublier que nous sommes tous unis et reliés. Chaque destin est unique. Si je n'avais qu'une phrase à dire à chaque être humain, c'est : vis ce que tu es ! »

Être ce que je suis. Être libre de toute chose. C'est ce que je ressens ici sur Touka. La réalité c'est que personne n'est fait pour être enchaîné. Tout est plus grand que nous et l'esprit est plus fort que tout. L'erreur, c'est le schéma vicieux dans lequel les humains s'enferment. Nous vivons puis nous mourrons. Nous les humains, suffoquons de douleur lorsque le chemin que l'on emprunte n'est pas le bon puis nous finissons par devenir des êtres soumis et gris dans leur cœur. Il est impératif de reprendre la bonne route pour s'ouvrir. Les maladresses et les erreurs commises par les Atlantes dans le passé les ont fait évoluer spirituellement. Ils sont devenus conscients et éveillés. Ils sont des êtres supérieurs par leurs actions et par leur intelligence mais ça, ils ne le diront pas. Je sais que les êtres humains y arriveront. J'ai foi en l'humanité. Tous unis, nous pourrons construire un monde plus apaisé et meilleur. Une terre sur laquelle chacun trouvera sa place et son bonheur. Je ferai en sorte d'accomplir ce pourquoi je suis né. J'ai décidé d'arborer un nouveau tatouage « vis ce que tu es ». Ce sera le souvenir de mon passage à l'état d'éveil sur Touka. Ma seule arme est l'espoir que je porte et j'irai poser l'espoir en chaque homme s'il le faut. Je dois rêver plus grand et plus fort. Je dois embarquer d'autres âmes sur mon bateau et faire en sorte qu'il flotte jusqu'à destination.

Le non palpable existe

L'irréel est réel. Ce que tu ne peux pas toucher ou voir est pourtant là, présent dans l'air que tu respires. À l'intérieur de ton corps, il y a ton âme, ton esprit et cette énergie qui provient du ciel. Si tu te concentres, tu peux tout ressentir. Il y a cette présence impalpable. Il y a toutes les réponses aux questions que tu te poses. N'oublie pas, tu es sacré, unique, relié aux autres et à l'univers tout entier. Tu es toi-même un univers.

Lavit : apprendre de la différence

« Lavit est le continent le plus chaud. La température varie entre vingt-cinq degrés en hiver et quarante degrés l'été. La terre des Lavitiams se trouve dans le nord de Lavit dans la forêt sacrée. Il y a un fleuve qui traverse ce continent qui s'appelle le Nibi. Nibi signifie en Lavitiam la force. Vous verrez des chutes d'eau prodigieuses. Le pont de Nura rejoint la partie Nord à la partie Sud du continent. Ce cours d'eau donne naissance à des rivières sur tout le territoire. C'est la caractéristique de Lavit. Le volcan Terraï mérite d'être signalé. Il est toujours en activité et pourrait gronder à tout moment. Il n'y a aucune habitation dans la partie Ouest de Lavit. Il vaut mieux éviter le danger et la puissance de ce monstre de feu. Les Lavitiams ne sont pas très grands et ne font pas plus d'un mètre cinquante de hauteur. Ils n'ont pas de cheveux, ont de beaux yeux en forme d'amande, de jolis petits nez et une bouche en harmonie avec leur visage. Ils ressemblent à des anges. Leur corps est proportionné et plutôt musclé. Il communique en majorité par télépathie mais se retrouvent pour échanger dès qu'ils le peuvent. Ils sont intuitifs, ont un humour très fin et sont très discrets. Le chef de la forêt sacrée s'appelle Ymto. Les Lavitiams ont connu des années prospères. Ils peuplaient toutes les terres de Bilem. C'est un peuple fait d'amour et de compassion. Ils accordent leur confiance avec naturel. Lors de la révolution spatiale, les Lavitiams ont été décimés par un peuple avide de richesse et de pouvoir. Il ne reste plus que dix mille six cents êtres Lavitiams. Nous avons conclu un pacte avec eux. Nous assurons leur protection et nous les laissons vivre en paix sur Lavit. Il faut savoir que l'ordre des anciens peuples veille à la paix dans l'univers. Il réunit toutes les civilisations avancées et pacifistes mais ne compte pas de membres des peuples jeunes comme le sont, par exemple, les humains. »

Râa m'intrigue et je me demande combien de civilisations existent à travers l'univers. La réponse à cette question m'inquiète et je n'ose pas la poser. Je me retrouve nez à nez avec Ymto et sa beauté angélique me fait oublier mes interrogations subsidiaires.

Carnet de bord – Question à Ymto – Lieu : Lavit

Ymto ressemble à une créature divine. Il est solaire et éclaire la pièce par la lumière que son être dégage.

ELUAN : Je suis heureux de vous rencontrer Ymto.

YMTO : Je le suis également.

ELUAN : Bilem est votre planète mère. Je voudrais comprendre comment vous avez accepté que les Atlantes s'y installent ? Comment avez-vous pu vous cacher pendant toutes ces années ?

YMTO : La planète est grande et ne nous appartient pas. Nous sommes des êtres sauvages mais pacifiques. Nous avons observé les Atlantes en gardant une distance adéquate. Quand nous avons eu la conviction que nous serions en sécurité, nous avons pris contact avec Râa. Nous ne nous cachions pas. Je crois que Râa a attendu que nous venions à elle par respect pour les Lavitiams.

ELUAN : Que pouvez-vous me dire de votre façon de vivre ?

YMTO : Nous sommes des êtres simples. Nous n'attendons rien et acceptons ce qui vient comme un miracle de la vie.

ELUAN : J'espère ne pas vous froisser Ymto mais j'ai cru comprendre que votre peuple avait été massacré et qu'aujourd'hui vous n'êtes plus qu'une minorité.

YMTO : Votre information est exacte. Je ne peux pas la contredire.

ELUAN : Vous ne souhaitez pas m'en dire plus ?

YMTO : Je peux vous en parler si vous le désirez. Soyez plus précis.

ELUAN : Lors de cette attaque, vous êtes-vous défendus ? Comment l'avez-vous vécu ?

YMTO : Je le répète, nous sommes pacifiques. Nous ne changerons pas notre nature profonde. Nous ne connaissons pas la violence ni la colère. Nous avons accepté cette attaque et nous avons perdu des proches. La mort n'est pas une fin, elle est un commencement. Elle peut survenir à la seconde, nous n'avons pas peur d'elle. Elle libère l'âme et l'emmène vers un nouveau processus de vie. Tout se régénère, il suffit d'observer la nature pour comprendre. Nous acceptons cette idée.

ELUAN : Ressentez-vous de la tristesse ?

YMTO : Nos cœurs ont été brisés. Quand il n'y a plus de vie dans un corps, les êtres manquent. Leurs sourires manquent ainsi que les discussions que l'on a eues mais c'est le processus de libération. Ce n'est pas parce que nous ne sommes plus matière que nous ne sommes plus. Notre peuple est télépathe. Nous pouvons communiquer sans présence physique. Il n'y a pas de finalité à la vie. La vie est infinie. L'âme se libère et continue son chemin tel un souffle qui s'échappe.

ELUAN : Est-ce que la mort est une échéance que vous attendez avec impatience ?

YMTO : Nous ne craignons pas la mort mais nous aimons la vie. Il suffit de regarder tout ce qui nous entoure. Avoir un corps physique nous permet de vivre avec des sensations différentes, d'admirer le monde, les gens que l'on aime. De vivre pleinement. De toucher, d'aimer, de sentir et ressentir, de goûter, d'écouter. Nous faisons le plein d'expérience dans un corps même si rien n'est matière au fond mais énergie, cette vie offre des possibilités nouvelles.

ELUAN : Voulez-vous dire que nous avons plusieurs vies et qu'elles ne sont pas toutes vécues dans une enveloppe corporelle ?

YMTO : C'est exact.

ELUAN : Comment le savez-vous ?

YMTO : Lors de votre neuvième incarnation, le processus n'efface plus la mémoire des anciennes vies. Ce qui signifie que l'être peut prendre son envol spirituel.

ELUAN : Pourquoi à partir de la neuvième vie et à combien de réincarnation en êtes-vous ?

YMTO : Parce qu'il y a un palier de neuf arcs à ouvrir dans chaque vie. Tant que vous n'ouvrez pas l'arc, vous vous réincarnez de façon à ce que l'objectif de l'arc soit atteint. Vous pouvez avoir dix vies pour un seul arc. C'est ce qu'on appelle l'anneau ou la boucle. Le dixième arc est la porte de l'excellence ou du nirvana si vous préférez. Pour répondre à votre seconde question, j'ai eu trente-six incarnations après avoir passé le neuvième arc.

ELUAN : Pouvez-vous me citer les différents arcs par lesquels on doit passer ? Je suppose que les peuples qui ont franchi le palier des dix arcs font partie de l'ordre des anciens, les terriens en sont à quel niveau ?

YMTO : Cela fait beaucoup de questions. Je vous propose de laisser en suspens vos interrogations et d'aller nous sustenter. Restez parmi nous, je vous donnerai de quoi rassasier votre désir d'apprendre.

Carnet de bord : le cycle de la vie et de la mort

1) Les arcs

D'après Ymto, un arc est le chemin de vie choisi et pris par l'esprit avant l'incarnation dans un corps. Deux choix de vies s'offrent à l'esprit pour franchir un arc. Les arcs se passent par étape. L'arc définit le point du début de vie jusqu'au point final. La courbe est le moment ou l'individu vit sa leçon est apprend. Il arrive souvent qu'une âme ne réussisse pas à passer l'arc pour laquelle elle a été incarnée. Dans ce cas précis, l'âme doit recommencer, il s'agit de l'anneau ou la boucle. Cette boucle peut durer et ne jamais cesser. L'âme est alors enfermée dans un perpétuel recommencement. Il se peut aussi qu'une âme choisisse de passer plusieurs arcs en même temps parce qu'elle évolue plus vite.

Voici les neuf premiers arcs à passer avant d'atteindre l'arc de l'excellence qui est l'arc numéro dix.

Arc 1 – L'arc du commencement ou de l'inaction.
Cet arc de vie est un arc ou l'état de l'incarné est dans l'observation plus que dans l'action. L'individu découvre le corps, il est en général maladroit et attiré par le repos. Il est

captivé par les activités intellectuelles comme la lecture ou les activités de distraction comme les jeux et vit dans un monde à part, voire imaginaire. C'est la phase de la découverte. L'individu qui n'était qu'énergie jusqu'alors doit se familiariser avec son véhicule, le corps (terrestre ou extraterrestre), c'est le sens du premier arc. Devenir actif.

Arc 2 – L'arc de la tentation et de l'attrait.

Une fois le corps adopté, l'individu découvre le monde à travers ses yeux. Il est nombriliste et accorde une importance majeure à son physique ainsi qu'aux plaisirs charnels. Il aime se regarder et s'apprécie. Il vit en général dans l'excès de tout. Le but de cette incarnation est d'apprendre à se détacher de soi-même et de son petit monde pour se tourner vers les autres.

Arc 3 – L'arc du manque et de la carence.

Comme son nom l'indique, cet arc est un arc étape où l'individu va vivre le manque de quelqu'un ou de quelque chose. Il vit soit dans la pauvreté, soit en ayant été rejeté ou abandonné. Cet arc est l'arc du vide et de l'absence. Il laisse place à de la solitude et l'incompréhension. Le sujet a pour mission de pardonner pour apaiser ce vide.

Arc 4 – L'arc de la patience et du calme.

Cet arc est l'arc de la réflexion, de la rigueur et de la transition. Il amène la personne à accepter l'attente et à devenir elle-même. L'arc quatre marque un passage vers l'éveil. Il est l'arc qui permet d'achever la période primitive de l'être. Cette phase de patience et d'introspection éclaire l'âme de l'entité.

Arc 5 – L'arc de l'abondance et de la fortune.

Cet arc offre richesse et biens matériels. L'objectif de ce type de vie est la générosité en redistribuant dans des causes nobles. Il n'est pas improbable de rester coincé dans cette phase, le partage n'est pas chose aisée.

Arc 6 – L'arc du savoir et de l'enseignement.

La voie de celui qui sait est d'apprendre aux autres avec passion et envie. Peu importe l'élève, l'essentiel est de le faire progresser. Un bon pédagogue est celui qui offre son savoir et qui ne ménage pas ses efforts pour donner.

Arc 7 – L'arc de l'apaisement et de la guérison.

Cet arc est l'arc du guérisseur qu'il soit médecin, vétérinaire, magnétiseur ou acupuncteur. C'est l'arc de celui qui soigne et qui mène à bien sa mission sans chercher le profit mais le bien-être de l'autre.

Arc 8 – L'arc de l'abandon et du désintérêt.

Si on peut donner des figures humaines à cet arc, je citerai Mère Teresa ou l'Abbé Pierre. L'entité s'engage dans de grandes causes humanitaires et abandonne tout ce qu'il a pour aider les autres. L'entité ne vit de presque rien se contentant du bonheur des autres comme unique richesse.

Arc 9 – L'arc du souffle et de l'univers.

Voilà l'arc qui conduit à l'éveil. C'est l'arc de la créativité et de la connexion avec le divin. L'être est connecté à l'art, à la méditation, à l'univers. Il a compris que tout est sacré, relié et unique. Il est prêt pour explorer d'autres formes d'incarnation et d'autres planètes sous un aspect physique ou sous forme d'énergie, sans enveloppe physique.

Arc 10 – L'arc de l'éveil ou de l'excellence.

C'est le dixième et dernier arc. Une fois l'éveil atteint, les anciennes vies ne s'effacent plus c'est ce qu'on appelle la phase d'envol. Plus l'incarnation est ancienne et plus le savoir est grand. Les peuples qui passent l'arc dix entrent à l'ordre des anciens.

2) Les âmes passagères

Il y a un cas où les arcs ne s'appliquent pas, celui des âmes passagères et messagères. Ces êtres interviennent à la demande de l'ordre des anciens pour aider un peuple à évoluer. Ils se retrouvent dans les dix arcs. Ils sont souvent perdus dans un monde où ils ne se sentent pas à leur place. Ces entités suprêmes ont pour mission de faire grandir les consciences. Sur terre, il y a un million de messagers, éparpillés un peu partout dans le monde. Leur mémoire est effacée afin qu'ils se sentent humains et impliqués dans leur mission. Ils doivent retrouver seuls leur chemin. Ils sont dotés de multiples dons et ne savent pas comment s'orienter dans la plupart des cas. Les humains sont tentés de se livrer auprès de ces êtres de lumières. Ils inspirent confiance mais eux, se sentent oppressés sur la planète Terre car ils ne sont qu'amour. Il se peut qu'ils ne trouvent jamais leur voie. Dans ce cas précis, ils retournent au stade d'évolution qui était le leur. Les âmes passagères ont quelques particularités. Elles sont solitaires mais aiment aussi recevoir. Elles s'indignent devant l'injustice et ne supportent pas les âmes négatives. Elles peuvent se mettre en colère face à une situation violente et ne les craignent pas. Cependant, leur devoir est de gérer leurs émotions afin de guider les humains du mieux qu'elles le peuvent. Ces âmes ont du mal à comprendre le fonctionnement de la terre. La manipulation, l'arnaque, le mensonge, la mégalomanie sont des défauts avec lesquels elles ont du mal. Elles sont dans leur élément au milieu de la nature et se ressourcent à travers elle. Elles ne se sentent pas bien au milieu de la foule et ne peuvent accepter l'esclavage moderne. C'est-à-dire qu'elles n'arrivent pas à se soumettre à des heures de bureau, à un travail précis et à des tâches répétitives. Ces âmes deviennent indépendantes et travaillent souvent pour elles-mêmes. Elles sont travailleuses mais veulent être libres. Elles réussissent sans trop de mal à gagner leur liberté. Ces êtres sont des anges gardiens réincarnés, qui permettent à de petits ou grands groupes d'évoluer spirituellement. Elles ont toujours la bonne parole et le mot juste. Elles protègent. Une pensée positive de ces âmes en direction d'un humain peut l'aider à améliorer sa situation. De même, elles pourront être des guides spirituels et des modèles à suivre. Ces personnes sont discrètes et agissent avec sérénité. On pourrait prétendre qu'elles sont un peu sorcières, chamanes ou guérisseuses. Attention, nous ne parlons pas de religion. Lorsqu'elles se révèlent, ces âmes apportent l'harmonie autour d'elle et surtout font grimper le taux vibratoire de la planète Terre. Ce qui est excellent pour l'évolution humaine. Lorsqu'elles ne se retrouvent pas, ses âmes souvent attendent la mort comme une délivrance. Elles pensent qu'elles ne viennent pas de la Terre et souhaitent retourner chez elle pour vibrer à nouveau. On peut dire que ces âmes sont désaccordées tel un instrument de musique. Elles se doivent d'être réceptives aux signes que l'ordre des anciens leur envoie pour retrouver leur voie et aider les hommes.

3) Les terriens et leur niveau d'incarnation

Les terriens connaissent des disparités importantes dans les arcs. Certains sont coincés au premier niveau lorsque d'autres en sont au neuvième. Les humains ne progressent plus ou presque pas. Les âmes prêtes à passer au dixième arc sont dans un processus de régression et sont comme absorbées par les énergies négatives qui enveloppent la terre. Il y a un blocage terrestre et les entités dites négatives abondent, ce qui fait que peu d'êtres passent au dixième arc. La terre connaît un effondrement. Son cycle est ralenti. Ce frein est une succession d'événements comme le réchauffement climatique, la pollution, les constructions massives, le bétonnage, les ondes informatiques et tout ce qui s'en suit… La terre ne respire plus, elle suffoque. L'énergie qui la relie à l'univers est faible, du coup tout est impacté, notamment les humains qui vibrent moins bien, moins vite et moins fort. Les Lavitiams ne sont pas pessimistes pour autant. Ils disent que nous arriverons à une vague changeante où le point final de cette dégénérescence sera acté. Ils pensent que les êtres humains retrouveront les vraies valeurs de la vie et comprendront que le seul but au fond est de vivre en totale harmonie avec ce qui les entoure. Que l'on comprendra alors que la solution n'est pas les autres mais nous-mêmes. Un petit changement pourra devenir un bouleversement. Les humains comptent sur les autres en permanence alors que chaque être à son plein potentiel à exploiter. Les Lavitiams nous invitent à changer la vision que l'on a des choses. Se tourner à l'intérieur de nous, prendre conscience de notre propre pouvoir ce serait ouvrir les yeux sur ce qu'est le monde et l'univers tout entier. Crier sa rage ou sa haine ne pourra nous apporter qu'encore plus de colère. Ils souhaitent que nous nous donnions de l'amour pour ouvrir le cœur des plus récalcitrants. Ymto dit qu'il ne faut pas attendre que tout arrive mais qu'il faut planter des graines, les arroser pour les voir germer. Il faut de la patience et des ondes positives pour voir fleurir ce que l'on a semé. Il faut aimer la fleur dont on s'occupe. C'est là le miracle de l'univers. L'univers ressent chaque énergie, chaque vibration. C'est lui qui régit tout. Chaque être fait partie de lui, relié à jamais à l'intouchable et l'incommensurable. Plus l'humain tissera une toile positive et plus cette toile s'agrandira et inversement, c'est pourquoi il ne faut pas lâcher et continuer d'ouvrir les consciences. Il faut travailler fort sur soi et ne pas se laisser aller à vibrer bas car ce serait accepter notre propre sort et stagner.

4) Prendre conscience de son plein potentiel

Ymto parle souvent de plein potentiel. Il entend par là, utiliser tout son savoir, toutes les ressources qui sont en nous pour mener à des fins heureuses. C'est-à-dire, que nous êtres humains sommes capables de tout. Ce qui nous limite c'est le préformatage qui a lieu au plus jeune âge dans les écoles, avec les parents et la société tout entière. Un enfant qui est mis dans les meilleures conditions exploitera tout son talent. Chacun de nous est pourvu de dons multiples. Alors, comment prendre conscience de son plein potentiel ? Ymto dit souvent que notre problème sur terre est l'ego et le corps. L'ego nous porte et nous ralentit dans notre cheminement. Il est l'ennemi. Nous nous référons toujours à l'ego. Une phrase mal placée à notre égard aura des répercussions sur notre comportement. Elle peut déclencher de l'anxiété, du stress ou encore de la colère. Cette phrase tournera en boucle dans notre tête et finira par nous empêcher de dormir… C'est là, le travail qu'il faut effectuer. Se libérer de son ego c'est se libérer de son mental et du mal être qui nous anime. C'est aussi se libérer du regard des autres et réaliser alors ce que l'on est vraiment. Le corps lui est notre enveloppe mais nous ne devons pas nous limiter parce que nous l'habitons. Il permet de réaliser et de concrétiser les choses. Le corps agit mais l'esprit n'a pas de limite. C'est pourquoi nous devons nous réapproprier notre corps, notre esprit et notre âme et vivre avec les trois en tant qu'humains.

Ymto nous a appris à ne plus penser et à faire le vide. La répétition de son mantra « akman nok bat » qui signifie « libère ton esprit » en Lavitiam nous a permis de nous concentrer sur autre chose que sur le mental. Il faut trois semaines à l'inconscient pour se reformater et Ymto nous conseille de réaliser cet exercice chaque matin environ quinze minutes. Il dit que l'humain libre pourra réaliser de belles créations dans sa vie et se contenter de peu pour être heureux. J'ai décidé d'orner ma peau de ce mantra afin de ne pas oublier que le mental peut être orienté et renouvelé de façon à s'élever. Ymto dit aussi qu'il faut s'observer de l'extérieur que c'est le seul moyen pour ne pas réagir avec l'ego. Il dit que si l'on s'aperçoit du ridicule de certaines situations, on finit par en sourire. Réagir sous le coup de l'émotion n'est pas adapté, au lieu de cela il faut respirer, revoir les circonstances de ce qui nous blesse et tenter de comprendre. Dans la majeure partie des cas, on finira par se dire que ce n'était pas très grave et puis on oubliera. Et dans le cas où on subit une réelle agression, mieux vaut la gérer avec calme car, qu'attend la personne agressive ? Une réaction violente pour se déculpabiliser. Il ne faut pas entrer dans le jeu des autres. Il faut rester en dehors de soi, observer de l'extérieur, voir l'absurdité car le mal être des autres ne doit pas être le nôtre. Est-ce que la vie est si sérieuse que ça au fond ? Doit-on se rendre malheureux pour les autres ou parce que l'on se laisse envahir

154

par la colère ou la peur ? Avoir son plein potentiel c'est choisir quand réagir et quand agir. C'est mener sa vie en s'étudiant et en s'analysant. Que dois-je améliorer en moi ? C'est cela la question. C'est à ce moment que l'on agit pour soi et que l'on se transforme. On ne peut être un maillon positif de la chaîne qu'en se métamorphosant nous-mêmes. Il ne faut pas l'oublier.

5) Changer sa vision des choses

Ymto dit qu'il faut une vision juste des choses qui nous entourent et notamment des situations. Il m'a fait remarquer que les êtres humains vivent des échecs et des réussites. La réussite glorifie et met en avant le sujet qui la vit. Les échecs dévalorisent et souvent nous amènent à nous lamenter sur notre propre sort, il se peut même que l'on ait en prime un passage à vide. Ymto dit qu'un échec est la meilleure des opportunités car il amène à un changement de vision. Les questions qui se posent alors sont :
— Pourquoi ai-je échoué ?
— Qu'est-ce qui n'allait pas dans ce que j'ai fait ?
— Ai-je raté une étape ?
— Pourquoi ça n'arrive qu'à moi ?
Arrive le stade de la remise en question, du dégoût et peut-être même de la colère. Nous n'avons pas, selon Ymto, une vue suffisamment large et objective du contexte car l'échec agit sur le présent mais aussi sur le futur. L'échec est une leçon que l'on tire, il est un élément déclencheur positif pour nous orienter de façon optimale. Il se peut que nous ne soyons pas sur le bon chemin et que l'échec nous aiguille. Il se peut que la voie choisie soit la bonne mais que ceux qui nous entourent, polluent notre environnement ou alors que nous devions réaliser nos projets autrement. Dans tous les cas, l'échec ouvre les yeux car il change

fondamentalement notre être. Il se peut que nous pestions dans notre voiture d'être coincés dans les embouteillages ou derrière une personne qui roule au pas et que cela nous évite un accident. Il se peut qu'à quelques minutes, une seconde, un millième de seconde nous échappions au pire. À qui cela n'est jamais arrivé de se dire qu'à quelques secondes près, c'était pour lui. Et parfois, ça arrive, c'est pour vous. Pourquoi ? Parce que vous êtes un être à part et que cette déconvenue est là pour vous aider à évoluer, à grandir, à prendre conscience. Peut-être, que cela amènera de la souffrance mais votre conscience s'élèvera plus vite, plus haut. Toutes les épreuves terrestres permettent de progresser. Il faut simplement regarder ce qui arrive avec un autre regard. Au lieu de voir les points négatifs à ce qui arrive, essayons plutôt d'observer cela avec un œil neuf et positif. Cela est complexe à réaliser mais plus on pratique plus on finit par apercevoir ce que l'expérience nous a apporté en matière de savoir, d'évolution spirituelle ou encore sur un plan plus personnel dans notre propre cheminement intérieur. Rien n'est anodin, rien n'est hasard. Rien n'arrive pour nous faire mal ou nous blesser, cela arrive car nous devons nous réveiller, nous éveiller et prendre conscience. Cela est très dur quand un phénomène que l'on ne maîtrise pas s'abat sur nous mais il faut garder à l'esprit que ça n'arrive pas pour rien. Tout à un sens. Tout est fait pour nous guider.

Bilem : continent de Hawk

« Le continent de Hawk est un continent d'êtres de la planète Terre, peuplé en partie d'Amérindiens. Voilà, les trésors de la terre qui se retrouvent sur notre planète. Les guerres de pouvoirs nous ont poussés à offrir des sols à ces peuples qui nous ont aidés autrefois et cela pour éviter que leurs coutumes ancestrales ne soient perdues à jamais dans les méandres de la planète bleue. Ces gens vivent ici sur un continent qui leur offre ce dont ils ont besoin. Ils sont en totale harmonie avec la nature. Ils sont libres. Libres d'êtres ce qu'ils sont. Personne ne leur impose une façon de vivre avec laquelle, ils ne peuvent pas s'acclimater. Les Amérindiens nous ont aidés à évoluer spirituellement. Ils vibrent à une haute fréquence et sont énergies. Des énergies reliées avec le ciel et la terre mère. Ils ont le pouvoir de l'esprit. C'est ce qu'ils trouvent ici. Ceux qui sont restés sur terre sont un point de relais. Aujourd'hui, la terre arrive à un stade de non-retour. Un stade où tout va devoir changer pour éviter le pire. Dites-moi, de quoi rêvent les humains ? Les personnes qui n'ont pas de pouvoir ? De vivre libre, n'est-ce pas ? Beaucoup d'entre vous aimerait avoir la liberté de choisir. Choisir un lieu où habiter que ce soit dans une grande demeure ou sous une tente en pleine nature. Choisir si vous souhaitez acheter au supermarché ou cultiver la terre. Choisir le métier dont vous rêvez ou encore de vous lever ou de rester au lit… La vérité c'est que vous aspirez à un retour aux sources. C'est normal parce que c'est la nature même de l'être. Les Amérindiens sont l'une des plus grandes civilisations et cette civilisation est présente sur Gaïa. Ce n'est pas anodin. Tout cela à un sens. Les Aborigènes sont présents également. Ces peuples liés à l'immatériel sont partout sur la terre. Ce sont de grands esprits et ils croient en ce qu'ils ne peuvent pas toucher. L'esprit n'est pas palpable, il est et c'est tout. C'est un leurre de croire que la richesse se mesure par l'argent ou le matériel. La seule richesse est la profondeur de l'esprit. Il est exact de dire que quand de nouvelles âmes se réincarnent, elles ne peuvent pas comprendre cela. Elles apprennent. Elles sont tournées vers le matériel, vers ce qu'elles voient. Elles veulent ce qu'on appelle chez les humains, la réussite, la gloire et l'argent. Ces âmes ne comprennent pas le surnaturel. Elles sont jeunes, spirituellement peu évoluées mais elles ont le mérite de chercher à devenir. Votre civilisation jeune apprend, essaye et commet des erreurs. Nous, Atlantes, avons eu besoin de perdre une planète puis un continent pour changer notre façon de voir les choses qui nous entourent. Nous nous pensions évolués et nous avons construit toutes les idées sordides et saugrenues qui nous venaient en tête. Nous avons fini par tout détruire parce que nos ego étaient trop grands. Se battre avec un arc et une flèche est bien plus noble que de lancer une bombe nucléaire et faire agoniser des millions de personnes. Tout est sacré chez les Amérindiens. Ils sont précieux comme le sont les Aborigènes et les peuples autochtones qui vivent cachés dans vos immenses forêts. Quand l'humain civilisé prendra conscience de cela, il aura commencé à vibrer sur une nouvelle fréquence. Il changera alors le cours de sa vie. »

Les paroles de Râa sont profondes. Mon esprit est en alerte. Râa nous amène près de Taw Hawk. C'est un éveilleur, un messager et un sage guerrier.

Carnet de bord : questions à Taw Hawk, l'esprit libre – Lieu, Hawk

Taw Hawk est en tenue traditionnelle. Il arbore avec fierté sa chevelure, ses colliers de plumes et de perles. Ses yeux ont un reflet lumineux. On peut sentir le feu qui brûle en lui et la paix qui l'entoure.

ELUAN : Les Atlantes vous ont offert une terre. Pourquoi avoir accepté leur proposition ?

TAW HAWK : Quel était notre avenir puisque nous n'avions plus de terre ? Quelle évolution pouvions-nous espérer ? Nous ne pouvions pas changer notre mode de vie par conséquent, mon peuple a accepté la proposition de Râa. Nous avons été suivis par d'autres tribus Amérindiennes. Nous offrir cette liberté d'être ce que nous sommes n'a pas de prix à nos yeux. Être libre est une richesse inestimable.

ELUAN : Comment avez-vous apprivoisé ce nouveau territoire ?

TAW HAWK : La nature est la nature où qu'elle se trouve, que ce soit dans nos réserves naturelles en Amérique ou ici sur Bilem. La nature fait partie de la vie d'un Indien. La seule différence c'est qu'ici nous sommes respectés.

ELUAN : Que pensez-vous des conditions de vie des Amérindiens sur terre ?

TAW HAWK : Sachez que je n'éprouve ni haine ni colère. J'ai toutefois un sentiment de tristesse à l'égard de mes frères. Ils sont dans une vie où on leur demande de régresser. Vous pouvez imaginer leur douleur. Ils doivent travailler et s'intégrer dans une société qui ne leur ressemble pas et sont pour d'autres de mes frères laissés pour compte dans des réserves. On leur donne de l'argent mais sans leur mode de vie traditionnel que voulez-vous que cet argent fasse, si ce n'est le malheur. La nature profonde d'un Amérindien c'est la liberté. Ils veulent subvenir à leurs besoins seuls. Ils veulent chasser et vivre en totale autonomie sur leur terre. Ils veulent prier et parler aux esprits. Chanter et devenir invisible. Ils veulent élever leur taux vibratoire. Ils veulent être nature. Ils ne trouvent pas leur place. Aujourd'hui, ils n'ont plus d'identité. Je dirais même que l'on n'a pas besoin d'être Amérindiens pour ressentir cela puisque tant d'âmes l'endurent.

ELUAN : Avez-vous un sentiment d'injustice à leur égard ?

TAW HAWK : Pas à l'égard des miens. Bien sûr qu'il y a eu de l'injustice et que l'on nous a volé nos terres. Je dirais plutôt que j'ai un sentiment d'impuissance face à tant de cruauté humaine. Les hommes s'entretuent alors qu'ils vivent sur la même planète et viennent donc de la même mère, Gaïa. Un homme blanc peut tuer un noir pour sa couleur ou inversement mais trouvez-vous ça normal de ne pas accepter les différences, de ne pas apprendre de l'autre ? Il y a tant d'irrespect entre les hommes. J'espère que les consciences vont évoluer et que le cœur des terriens s'éveillera.

ELUAN : Comment sommes-nous passés à côté de la source de savoir que les Amérindiens et les Indigènes possèdent ?

TAW HAWK : Chacun de nous doit poser une pierre pour réaliser une structure. Cela pour dire que le but de la vie est d'évoluer. Quand de jeunes guerriers ont pour ultime dessein de conquérir la planète, vous ne pouvez rien leur apporter. Quand les Amérindiens croyaient en d'autres vies dans l'univers, les colonisateurs eux croyaient au pouvoir des terres et limitaient leur vision du monde en pensant que nous étions l'univers tout entier. Les colons regardaient leur nombril en voulant dominer le monde et prendre le pouvoir. Dans ce cas, il n'y a rien à faire si ce n'est tenter d'être soi et de rester le plus humble possible.

ELUAN : Je comprends. Vous avez lâché prise en quelque sorte.

TAW HAWK : On peut dire ça ainsi. On a combattu pour sauver nos terres mais leurs armes étaient plus puissantes, leurs armées plus grandes. On a sauvé ce que l'on a pu et notamment nos valeurs et nos rituels. Il est difficile de se taire quand une injustice est commise mais nous nous sommes tus parce que nous n'étions pas entendus. Il n'est pas nécessaire de crier quand vous vous adressez à un peuple sourd. Il est mieux de garder ses sages paroles dans ce cas.

ELUAN : Trouvez-vous que les mentalités évoluent sur terre ?

TAW HAWK : À l'époque, nous étions perçus comme des sauvages. Je ne peux pas vous dire si cela a évolué. Est-ce qu'aujourd'hui les Amérindiens sont mieux traités en Amérique du Nord ? Je ne le pense pas. Est-ce que les Aborigènes ont retrouvé leur terre ? Est-ce que les peuples d'Amazonie sont en danger ? Quelques questions répondent à votre interrogation.

ELUAN : C'est juste.

TAW HAWK : Je voudrais voir mes frères respectés pour ce qu'ils sont. Je voudrais voir l'Amazonie, poumon de la terre, ne plus être détruite. Je voudrais voir les Aborigènes profiter de leur terre. Pour finir, je voudrais voir les hommes s'instruire auprès de ces peuples et s'enrichir de leurs cultures. J'aimerais qu'un échange réel s'instaure.

ELUAN : Je ne peux que vous soutenir dans ces propos. Je ne comprends pas trop ce qui anime l'être humain à vouloir posséder, dominer parfois même aux dépens des autres.

TAW HAWK : Je ne sais pas si c'est le pouvoir qui anime les êtres, l'envie d'exister ou de se montrer. Il y a de plus en plus de maladies psychologiques sur terre, ça prouve que la vie pèse sur le dos des gens et qu'ils ne trouvent pas leur place. C'est un fait que l'évolution technologique sur la terre amène les âmes à devenir de plus en plus isolées quand les autres aiment de plus en plus se mettre en avant, inventer leur propre vie et exister dans un monde chimérique.

ELUAN : C'est vrai. Rares sont les personnes vraies et entières qui créent par elles-mêmes et ne se cachent pas derrière un ordinateur pour se broder un monde qui les fait rêver mais qui n'existe pas.

TAW HAWK : C'est la grande illusion sur Gaïa. C'est ce que les miens rapportent. Quelques manipulateurs jettent des paillettes, les yeux qui les regardent sont bernés, les hommes sont subjugués et y croient. Ce sont les gourous du vingt et unième siècle.

ELUAN : C'est complètement ça. Je me rends compte du ridicule de tout ce qui peut nous entourer sur Gaïa notamment de tout ce qui est virtuel même si l'internet peut nous aider, il peut aussi être néfaste s'il en est fait un mauvais usage.

TAW HAWK : Je vous l'accorde. Venez vivre avec nous et voyez ce que nous pouvons vous apprendre.

J'accepte avec plaisir l'invitation de Taw Hawk et l'équipe est ravie.

Carnet de bord – Hawk – le retour aux sources

Les étendues ne s'arrêtent jamais sur le continent d'Hawk. L'eau du fleuve Mayon est bleu turquoise. Les montagnes d'Okawa sont les plus hautes de Bilem. La fonte des neiges au printemps nourrit le fleuve. Notre campement est établi à Lay entre la rivière Tikaino et le fleuve Mayon. Taw souhaite que nous vivions ici paisiblement et dit qu'il n'a aucune leçon à donner, il répète souvent ceci : « Regarde avec tes yeux, écoute avec ton cœur et ressens avec ton esprit ». Nous vivons dans un Tipi traditionnel. Nous y sommes à l'aise. L'eau de la rivière nous déshydrate et nous lave. Nous apprenons à vivre avec peu, en toute modestie et à apprécier ce que la vie nous offre au quotidien. La journée, nous expérimentons les rudiments pour chasser et cultiver. Nous construisons nos arcs et nos armes de chasse. C'est un art qui demande de la concentration. Les animaux sont respectés et remerciés à chaque fois que l'un d'entre eux offre sa vie. Les repas sont importants. Le feu crée une ambiance particulière. Les chants amènent de la profondeur et apportent de l'harmonie au sein du groupe. Nous essayons de les retenir. Ils invitent aux voyages et apaisent l'âme. Ils permettent d'entrer dans un état méditatif et de ne plus penser. C'est une alliance avec l'univers. La musique a une grande place au sein des Amérindiens. Qu'espérer de plus de la vie ? Nous ne manquons de rien même notre esprit est rassasié. Toutes les richesses nous entourent, la vie est omniprésente. La connexion se fait entre êtres et non pas via des réseaux sociaux. On parle, on rit, on pleure même parfois. Personne n'est laissé pour compte chacun a sa place. Hawk voit l'animal totem pour chaque être. Il m'a dit que j'étais un aigle dans le ciel et que je passais dans le soleil. Il dit que l'aigle est le messager des Dieux et qu'il représente le grand esprit. Il n'est pas étonné de me voir ici et d'avoir été choisi. Pour lui, l'aigle représente la liberté et l'envol. Il pense que rien ne me tiendra jamais en cage. L'aigle est fidèle et loyal mais n'aime pas les interdits, il vole là où il veut et quand il le veut. Sa prestance met tout le monde d'accord. Le soleil est la lumière, il éclaire le monde. Taw m'explique que parfois on se sent tout petit mais que notre mission est grande, qu'il faut agir quand on le peut et ne pas attendre. L'aigle est un animal instinctif. Il n'attend pas, il agit. Taw aimerait voir surgir en moi cette instinctivité, il dit que je me pose trop de questions et que souvent mon mental prend trop de place. Il a raison. Je vais travailler à cela sur Hawk redevenir un être sauvage et instinctif qui ressent et qui ne pense pas quand cela n'est pas nécessaire.

Parole de Taw Hawk – Le sens de la vie

« N'attends pas de la vie qu'elle t'offre quelque chose. La vie est et c'est tout. Aie de la gratitude pour tout ce qui t'entoure et ne demande rien car cela viendra à toi sans chercher. Donne juste de l'intention à tes idées. Agis, souris, aime chaque jour, aime le moment présent tel qu'il est parce qu'il est parfait. Prends chaque épreuve comme une leçon et grandis. Ne sois pas victime de ta vie car ainsi tu attires le mal à toi. C'est à toi de semer ta graine et de patienter pour récolter. Si la récolte est mauvaise, c'est que ton chemin est ailleurs et que le don que tu as doit servir pour une autre cause. Tu es le serviteur de l'univers. Il te faut donc mettre ton ego de côté. Si toutes les portes sont fermées devant toi, sache que l'une d'entre elles sera ouverte pour toi. C'est ton chemin. La clef de ta vie. C'est ce pourquoi l'univers t'a créé. Lorsque tu auras perçu cela alors tu sauras. Tu sauras ce que tu as à faire et tu seras patient dans ce que tu réalises. Tu deviendras le calme et la sérénité car tout devant toi sera clair et évident.

Rien ne peut aboutir dans la colère ou la rage car ces sentiments ferment tes yeux aux autres opportunités. Tu ne seras que ton ego. La rage et la colère doivent être transformées en énergie positive. Tu dois être un exemple. Chaque fois que tu réalises quelque chose, fais-le avec rigueur, sois précis. Ne bâcle jamais ta mission. Mets-y du cœur, concentre-toi sur elle et apprécie ton action à sa juste valeur. Rien n'est hasard. Chaque étape de ta vie te mènera quelque part. Sois confiant. Sois sûr que tout sera beau. Ne te lamente jamais sur ton sort. Aime même la tâche la plus difficile que tu aies à faire car elle sera ta fierté pour l'avenir. Ancre-toi au sol. N'aie pas peur. Ressens l'univers en toi.

Que cherches-tu au fond ? Le succès, la gloire, la réussite ? Cela ne veut rien dire car tout cela est propre à chacun. Cela est juste bon pour l'ego mais pas pour l'être qui t'anime à l'intérieur. L'ego est celui qui te guide autrement qu'avec le cœur. Il est ton ennemi. Il n'est pas bon pour trouver ta lumière. Regarde tout ce qui se passe en étant à l'extérieur de toi comme un être en dehors de son corps. Tu verras qu'il ne faut pas réagir sur l'instant, il faut comprendre avant tout. Lorsque tu comprends pourquoi telle ou telle chose a pu se passer, demande-toi, si tu n'as pas créé cette situation. Tes pensées forment ta vie. Tout ce que tu penses se réalise. Tout ce que tu crains se produit. Prends un instant pour y réfléchir.

Si tu veux une vie meilleure, sois précis. Si tu passes à côté de quelque chose qui peut être fait, fais-le ! Ne regarde plus en arrière, avance, le chemin est devant. Ne crois pas que le chemin est droit, il est peut-être à gauche ou à droite. Ne garde pas un esprit étriqué, ouvre-toi, deviens plus grand que ce que tu es et vois. Rien ne peut t'apeurer et t'effrayer si ce n'est ton inconscient, c'est-à-dire, toi. Ne reste jamais sur des idées préconçues et toutes faites. Apprends par toi-même. Le monde n'a pas de limite si ce n'est la limite qu'on lui donne ou lui impose.

Le sens de la vie, tu le verras dans tes derniers jours de vie car tu auras le recul nécessaire pour observer tout ce que tu as réalisé et tout le bien que tu as semé. Tu ne peux pas le voir là, tout de suite, maintenant. Ce sens, ce but, il est ancré en toi dès que tu vois le jour. Arme-toi d'amour et de patience et tu accompliras ton chemin. »

Parole de Taw Hawk – comment accepter le mal autour de soi ?

« Tout ce que l'on ne maîtrise pas et notamment la vision violente qui nous est renvoyée de certaines situations nous touchent. Je fais partie de ceux qui ont envie de crier quand je vois des enfants maltraités ou des guerres faisant des millions de morts sur votre monde. Que faire face à cela ? L'impuissance est grande. L'incompréhension aussi. Il est difficile de faire la part des choses. Notre âme est sensible et réagit à ce genre de contexte agressif. Quand la situation est sous nos yeux, on peut essayer d'intervenir. Lorsqu'elle est relayée par l'information, elle nous prend aux tripes et l'on se sent désarmés. Alors, comment gérer cela ? Avant la surinformation, nous vivions en communauté et regardions ce qui se passait autour de nous. Nous réagissions pour notre groupe ou lorsque l'on voyait des injustices. Aujourd'hui, sur votre monde, tout est relayé et les personnes hypersensibles se noient face à tant d'oppression et de malveillance. L'être humain naît pur, il prend un tournant négatif ou positif. Ce que l'on peut faire de mieux face à cela, c'est faire le bien et du mieux que l'on peut autour de nous. C'est couper les ponts à la surinformation, éteindre tout réceptacle informatif pour éviter la surdose. Cela ne signifie pas qu'il faut occulter tout ce qui se passe dans le monde mais agir à petite échelle afin de créer un réseau, telle une toile, pour un monde meilleur. Certains auront le pouvoir d'agir à grande échelle et notre petit réseau pourrait amener à ces personnes-là. Il faut garder la foi en l'humanité. L'information renvoie à une vibration négative et empêche le monde de résonner sur des ondes élevées. Rien ne peut changer ainsi. Il faut se concentrer sur la vie autour de soi car c'est la meilleure façon pour répandre le bien. On ne doit pas tout ignorer mais nous ne pouvons pas agir à échelle mondiale sans agir autour de soi. Sème tout ce que tu peux semer de beau et tu pourras voir que tes agissements peuvent avoir un effet positif sur ceux qui t'entourent. Si tu deviens un exemple, certains agiront comme toi. Regarde autour de toi, il y a là aussi des personnes malheureuses qui ont besoin d'aide, pourquoi ne les aides-tu pas ? Je vais parler de ton monde à Rome par exemple. Quand une personne âgée monte dans le bus, lui cèdes-tu ta place ? Quand son panier est trop lourd, l'aides-tu à le porter ? Quand elle a du mal à traverser, arrêtes-tu la circulation ? Est-ce que tu la prends par le bras pour la conforter ? Quand tu vois un sans domicile fixe, lui donnes-tu à manger ? Une couverture ? Des vêtements chauds ? Ce sont des petits riens qui peuvent tout changer dans ta façon de construire le monde. Pas besoin des médias pour relayer cela, ça se passe en bas de chez toi, les infos ne t'en parlent pas, et que fais-tu ? Tu préfères t'apitoyer et te révolter sur ce qui se déroule à des milliers de kilomètres. Dans ce cas, engage-toi avec une association caritative pour offrir une aide humaine partout dans le monde et agis ! Si tu ne veux pas faire cela alors, fixe-toi des objectifs près de ton domicile. C'est comme cela que l'on peut intervenir. Les êtres humains sont myopes. Comment viviez-vous avant ? Dans l'entraide familiale et de l'entourage proche mais aujourd'hui ? Je ne peux pas entendre que le mal qui est fait sur la planète est mal vécu quand les gens qui vivent à côté ne réagissent pas. Réagir c'est agir auprès de ceux qui nous entourent. »

Parole de Taw Hawk – vivre avec son passé

« Qu'est-ce que le passé au fond ? Une bribe, un instant, une seconde, vécus, il y a des décennies. C'est un lointain souvenir qui fait mal ou qui crée un sentiment nostalgique. Pourquoi ce passé nous tiraille ? Parce qu'il a touché notre cœur, nos entrailles et nous a empêché d'avancer suivant ce qui a été enduré. Alors qu'est-ce que le passé au fond ? Il n'est plus. Il n'est pas et n'existe pas. Il est un fragment de poussière empilé à d'autres fragments. Il n'est qu'illusion. Un cil qui tombe de la paupière. Une goutte d'eau absorbée par la terre. Une erreur ou une chance. Un amas de lutte ou d'inertie dont l'écho ne retentit même plus. Tout cela a construit l'être que nous sommes. La douleur forge un caractère, la tendresse un cœur plus léger. Certaines personnes n'arrivent jamais à tourner la page d'un passé douloureux parce que les séquelles sont trop présentes encore. Je ne détiens pas la solution mais je sais que vivre l'instant présent permet de prendre conscience que l'essentiel se passe ici et maintenant. Il faut voir ce vécu comme une chance car c'est dans les plus grandes souffrances que naissent les meilleurs hommes. Alors, il est facile de dire sois présent à cet instant, il n'est pas simple de l'appliquer. Comment oublier le passé et se concentrer sur ce moment unique et magique qu'est le présent ? Il y a des étapes à respecter.

1. Aimer son enfant intérieur : la première étape est de prendre le temps de la solitude pour replonger aux tréfonds de soi. Il s'agit là de revivre les choses et de regarder cet enfant que l'on a été en lui envoyant le plus d'amour possible. L'amour

envoyé à cet enfant ou cet adolescent permet de donner confiance à l'adulte que nous sommes et que nous deviendrons. Se donner de l'amour permet d'aimer les autres avec lesquels nous vivons.

2. Pardonner : le pardon est une étape essentielle à la guérison de l'être. Il faut ressentir ce pardon au plus profond de soi. Si vous dîtes avoir pardonné mais ressasser sans arrêt le passé alors ce n'est pas réglé, continuez le travail. Le pardon offre l'apaisement au cœur.

3. Se faire du bien : sans entrer dans l'égoïsme ou dans l'égocentrisme, il faut penser à soi et apprendre à se faire plaisir, se faire du bien. S'offrir une attention peut changer l'opinion que l'on a de nous-mêmes.

4. Aimer les autres : n'oubliez pas que nous sommes tous dans le même bateau, la compassion et l'empathie sont des clefs essentielles pour apprendre à aimer les autres et à aimer le monde, l'univers.

5. Ne jamais oublier le chemin parcouru : regardez les épreuves que vous avez vécues dans les yeux. Regardez comment vous les avez affrontées avec force. Quand vous partez d'un niveau zéro, il faut atteindre le sommet et savoir recommencer. Regardez où vous en êtes aujourd'hui et continuez d'avancer.

Le passé n'est rien d'autre qu'un ennemi dont il faut tirer la force. Cet ennemi est un allié de taille. Il nous permet de savoir qui l'on est, d'où l'on vient ou d'où l'on ne vient pas. C'est tout ce qu'il faut garder du passé, le meilleur et le courage qu'il nous a apporté. Le passé n'a plus sa place dans le présent. Il a été. Il faut se guérir de lui car sans cela, jamais vous ne vivrez la vie dont vous rêvez. »

Vivre pourquoi ?

Chaque âme, être, esprit est ici pour vivre une expérience. Il ne faut pas l'ignorer et rester à l'écoute de son moi profond. Réaliser sa quête c'est se révéler, c'est se réveiller d'un sommeil profond, c'est éveiller son inconscient.

La force de l'univers

Après tout ce que nous avons vécu, Râa se sent fatiguée et a décidé de passer la main à Lahtania. Elle m'accompagne un peu tous les jours et me donne des idées et des informations dès que j'ai des questions. Cela fait plus de trente-six mois que nous sommes partis et je compte prendre un peu de temps encore pour écrire et fignoler le reportage final. Nous sommes revenus sur Atlantea. Lahtania a tenu à me parler du monde des esprits. Il est important de le partager.

« Nous croyons en la force des esprits. Nous croyons en une force unique. Cette force est reliée à nous et notre esprit est là pour nous rappeler quel chemin suivre. Cette force est un tout. Ce n'est pas un être, c'est universel, c'est tout ce qui nous entoure, c'est l'univers. Lorsque cette vision germe, nous pouvons prendre conscience de ce que nous sommes. L'être, quel qu'il soit, est sacré. Chacun peut se voir et se ressentir comme faisant partie de l'univers. La seule limite de l'homme est l'homme lui-même. Un esprit étriqué ne recevra aucun message, aucun signal et ne verra aucune lumière dans sa vie. Comment pratiquer la connexion à la source sacrée ? Par le silence, la méditation et toute pratique spirituelle positive. Nous savons que nous sommes des canaux de l'univers et que nous sommes ici pour accomplir nos missions de vie. Les êtres Atlantes ou les êtres Humains ont tous un pouvoir sur leur vie. Les signes défilent devant nos yeux et si nous n'y prêtons pas attention alors nous ne pouvons pas les voir et nous continuons notre chemin les yeux fermés. Ouvrir les yeux c'est suivre son chemin car à tout instant les signes apparaissent. Les chemins ne sont pas tout tracés mais les signes indiquent la voie. Ce qui t'a mené jusqu'à nous, Eluan, ce sont les signes. Cela n'a rien à voir avec le hasard ou les coïncidences. Ton père menait cette quête. Il a été assassiné. Tu aurais pu ne pas continuer. Quelque chose t'a poussé à le faire. Si tu y réfléchis, je suis sûre que tu as eu des millions de symboles sous le regard. Rien n'est hasard. On ne peut pas laisser sa propre vie aux mains du hasard ou à la croyance d'une coïncidence ou encore à la chance. L'univers est le seul Dieu existant. Il est là et nous englobe. Il donne les clefs pour réaliser ce qu'on lui demande et parfois cela passe par des périodes plus difficiles. Ces périodes sont nécessaires afin d'amener à nous ce que l'on souhaite. L'univers réagit à un état d'esprit. Un être négatif n'aura que du négatif. Changer sa vision des choses, croire en la vie, en l'amour, en soi, envoie des signaux nouveaux et permet une récolte différente. Tout est dans l'état d'esprit. »

Quand Lahtania parle de canal, elle indique que nous sommes prémissionnés pour réaliser ce que l'univers a prévu pour nous. Il a un plan pour chacun. Ce plan nous ne le connaissons pas mais chaque jour qui passe, des messages viennent jusqu'à nous. Certains savent où ils vont dès leur plus jeune âge et d'autres sont perdus. Il y a des chemins plus difficiles et je crois que c'est parce que ces chemins-là ont plus d'impact une fois qu'ils trouvent leur route. L'univers est en nous, il est le guide et nous sommes des êtres de lumière, il ne faut pas perdre ça de vue. C'est en étant soi que tout s'éclaire. Chacun est élu. J'ai été élu pour rapporter et raconter l'histoire de notre monde telle qu'elle s'est passée. Élu pour retranscrire le message que nous sommes tous sacrés et que sans la planète nous ne serons plus rien. Je suis élu pour tenter de changer le monde et je me sens libéré du poids qui pesait sur mes épaules car, je sais. Reliez-vous à l'univers, soyez le canal, ouvrez les yeux et trouvez votre voie. Faites le bien, faites-vous du bien. Soyez amour et lumière. Soyez différent, simple et vous-même. Pensez avec votre esprit et non avec votre mental. Ne croyez pas tout ce que l'on raconte, faites-vous votre opinion. Il ne vous arrivera rien de mal et la vie sera alors le miracle que vous attendez. C'est ce que je vis, ce que je suis, ce que je fais ici et maintenant qui compte. C'est là tout le sens d'une vie. Vous pouvez planter mille graines et ne jamais voir la forêt que vous avez plantée mais dans cent ans, des enfants pourront admirer votre œuvre. Peu importe le résultat. Oubliez tout ce que l'on vous a appris. Repartez de zéro. Reprogrammez votre esprit. Repensez la vie, elle n'est pas due au hasard, elle n'est pas une coïncidence.

S'éveiller et s'élever

J'ai compris la force de l'univers et aussi que nous avons tous un rôle à jouer. Ce n'était pas évident avant mon voyage vers Bilem. Tout était plutôt flou dans mon existence. Tout ce que l'on peut rejeter de la société n'est pas si exécrable. Il y a du bon et du mauvais dans la société moderne. Il faut que l'on mette en valeur la nature humaine et l'inviter à grandir, à évoluer. C'est le rôle de chaque humain que d'aider les consciences restées à un stade vibratoire bas. Au lieu de râler, de pester, de s'énerver après les autres, c'est le but de chacun que d'accompagner à l'évolution spirituelle. Voilà un objectif simple de la vie. Tout est question de vision. Réagir de façon négative à une situation, c'est ne pas être à la hauteur. Tout doit être pesé. Toutes émotions apaisées. Ce que j'ai pu apprendre de Bilem c'est qu'élever les autres nous élève nous-mêmes. L'éveil c'est voir le monde et ses couleurs. Tout devient lumineux et léger. Tout est beau, tout est bon. Le vent dans les cheveux, le soleil qui caresse la peau, les feuilles ondulantes sur l'arbre. Tout est poétique. Voilà ce qu'est l'éveil. Il est le chant d'un oiseau, il est le lever du soleil, le sourire d'un passant. C'est voir les choses en trois dimensions. C'est savoir mesurer la chance que l'on a d'être là. C'est ne plus se poser de questions inutiles et savoir où l'on va sans même y réfléchir. C'est aimer et comprendre sans porter de jugement. C'est avoir la grandeur de l'âme et le calme d'un arbre. C'est sourire sans savoir pourquoi. C'est respecter ce qui nous entoure. Un caillou dans une rivière pourra faire changer de direction, tenter de passer par-dessus c'est tenter de forcer le destin, de faire couler le radeau. Il faut accepter ce qui arrive car cela à un sens. Les embûches sont autant de voies d'accès bien meilleures qui s'ouvrent devant nous si nous apprenons à les lire et à ne pas forcer le passage. Voilà ce qu'est l'éveil. C'est l'analyse de chaque situation avec un œil nouveau comme si nous étions en dehors de notre corps en simple observateur. Les Atlantes ont compris cela parce qu'ils ont souffert et qu'ils ont appris de leurs erreurs. Rien ne grandit jamais sans une prise de conscience et sans douleur. Il faut accepter et se transformer.

Revoir Misteo : les conseils du sage

1) Tout est mouvement

« Tout peut changer en un claquement de doigts. Rien n'est stable tout est mouvant. En un millième de seconde, tout peut s'arrêter, naître ou disparaître. Il faut prendre conscience de cela. La vie est un mouvement perpétuel ou rien n'est jamais sûr. Rien, peut devenir tout. Tout, peut n'être plus rien. Il faut mesurer cela. Être sûr d'en avoir conscience à chaque pas. Faire des choix en conséquence. Vivre n'est pas une situation d'attente. Celui qui attend ne vit pas. Il attend. Être en vie s'est faire corps avec elle et accepter ce changement, ces mouvements, ces rotations. Ce sont les règles de l'univers. Rien n'est acquis et ce n'est pas parce que rien n'est sûr qu'il ne faut pas oser. Prendre des risques, oser les défis c'est accepter ce mouvement. Personne ne pourra revivre des moments passés. Ces moments sont ancrés dans la chair mais n'existent plus. Il faut accepter cet instant où le soleil chauffe la peau sans dire un mot et l'apprécier. Il faut comprendre que chaque seconde est unique. Tu pourras recréer une situation dix ou dix mille fois, Eluan, jamais, au grand jamais, tu ne pourras revivre ce que tu as vécu. Tu peux repartir dans le même lieu avec les mêmes amis et à un autre moment de ton existence, ce moment ne sera jamais le même. J'insiste. Tout change, le lieu, l'instant, les gens qui t'entourent. Tout évolue. Rien ne sera plus comme hier. Ces instants précieux ne peuvent être gâchés car ils t'appartiennent. Quoi que tu aies fait hier, sois toujours honnête avec toi-même car demain, tu seras un homme nouveau. Arrivera un matin où tout sera clair. À quatre-vingts ans que restera-t-il de tes trente ans ? Des souvenirs dans lesquels tu replongeras mais qui te paraîtront bien irréels. Ce ne sont pas des souvenirs qu'il faut se construire mais des minutes sacrées et uniques de sens. La vie prend son sens dans la minute qui passe. Ne fais jamais semblant d'être un autre. Sois toi. Ne deviens jamais le miroir d'une autre personne et ne fais pas ce que les autres attendent de toi juste pour leur faire plaisir. Sois cet être de lumière avec tes défauts et tes qualités. Ces moments sacrés d'inspiration n'existeront peut-être plus. C'est l'idée avec laquelle il faut avoir le courage d'avancer. Tout ce que tu vois, tout, existe à la seconde qui passe et ne sera plus lorsque la deuxième seconde sera passée. Tu garderas ça en mémoire ou tu l'effaceras mais rien n'aura jamais la saveur d'avant. Point. L'idée doit être acceptée sûrement digérée. Tout change. Ce changement est propre à chacun. Tout est modulable telle une maison que l'on détruirait pour la rebâtir. Il faut accepter de perdre ou de gagner car rien jamais n'est acquis. Tout est en équilibre sur un fil et tout peut basculer c'est cela qu'il faut retenir pour vivre pleinement. Tu pourras persévérer et faire preuve de rigueur mais lorsqu'une chose, un objet, un élément ou une entité ne doit plus faire partie de ton univers de vie alors tu ne pourras pas retenir cette chose, cet objet, cet élément ou cette entité. La clef pour vivre la seconde qui passe de la meilleure des façons est de la vivre en pleine conscience c'est-à-dire comme tu la veux, comme tu l'entends. N'oublie jamais que tu crées ce que tu penses. C'est à toi de changer ce que tu veux modifier.

Pourquoi te dire tout cela Eluan ? Parce que ton retour sur terre ne sera pas facile et que tu rencontreras des esprits sceptiques et fermés. Il est possible que tu ne puisses rien faire pour sauver les tiens. Ce ne sera pas de ta faute mais n'oublie pas de créer dans tes pensées le résultat que tu souhaites avoir et tu l'obtiendras. Reste concentré sur la seconde qui passe car c'est elle qui peut changer le monde dans lequel tu vas retourner. Cette seconde est précieuse, fais-en bon usage auprès des tiens. Ne gâche pas le temps que t'offre l'univers. »

2) Le tourbillon de l'univers

« L'univers est une spirale et comprend un noyau central. Il n'est pas mesurable et n'a pas de fin. C'est une source de vie qui se multiplie et ne s'arrête jamais. Il n'y a pas d'après ni de finalité. C'est infini. Le centre de l'univers s'appelle l'œil et est occupé par les Dieux Suprêmes dont seuls les élus aux conseils ont accès. Quand je parle de Dieux, je ne parle pas d'êtres que l'on vénère. Ces Dieux sont les gardiens des peuples et du système. Ils veillent à ce que tout se passe correctement. Ils répondent aux demandes multiples des âmes de l'univers. Toutes les demandes envoyées vers l'univers arrivent aux Dieux Suprêmes. Si la demande est une complainte, elle ne sera pas traitée. Lorsque l'on s'adresse à l'univers en tant qu'individu, la demande doit être ferme et claire. On ne supplie pas. On demande. C'est-à-dire qu'il faut que cela soit une volonté profonde et désirée, cela ne peut pas être une pensée furtive. Il faut y croire presque déjà la vivre. Si les Dieux suprêmes acceptent la demande, la réponse sera immédiate ou quasi immédiate. Il faut maîtriser ses pensées pour ne pas envoyer tout et n'importe quoi aux Dieux suprêmes. Tes questions Eluan, je les entends d'ici. Si tout est infini, pourquoi sommes-nous là, pourquoi devoir évoluer ou vivre, pourquoi aller de vie en vie quand l'on pourrait continuer son chemin, quel est le but ultime de tout cela ?

Et si tout simplement, il n'y avait pas de but comme l'entendent les humains ? Je vis pour quelque chose de précis. Bien non, ce n'est pas ça le dessein comme je l'expliquais, la vie est un mouvement perpétuel. Il n'y a pas un but précis mais plusieurs. Il y a un rond central et des flèches de direction. Chaque flèche mène à un objectif et ainsi de suite mais l'objectif ultime au fond n'est-il pas d'atteindre le Nirvana et de devenir, nous aussi, un jour un Dieu suprême ? Gardien des temps et de l'univers ? On pense que la vie n'est pas éternelle parce que l'on passe par des phases de vie et de mort mais la vie est éternelle car elle est une succession de renaissances. Les Dieux suprêmes ne meurent plus. Leur temps n'est plus compté. Ils sont. C'est ainsi, petit à petit que les choses se mettent en place. Et si l'on souhaite vraiment se donner des buts ou un sens à la vie, elle n'a comme sens que l'accès au Nirvana. Ça peut faire sourire mais la tâche est rude et pleine d'épreuves. Il ne faut pas penser que cela est si simple sinon nous serions tous des Dieux Suprêmes, or ; il n'en existe que quelques-uns et nous n'en faisons pas partie jusqu'à preuve du contraire. Quelques Dieux Suprêmes résident sur la planète Terre parce qu'il faut que les bonnes idées y soient semées. Ils ne peuvent pas être touchés par les basses vibrations qui entourent la planète terre. Ils ne quittent jamais leur état car leur chemin a été long et empli d'épreuves. Ils savent ce qu'ils sont et pourquoi ils sont. Le bout de la spirale est long pour atteindre l'œil. Les Humains ne sont qu'au début de leur épopée. Il faut accepter d'être un maillon du début de la chaîne et progresser. Pour marcher, un pas vient après l'autre. C'est pareil pour évoluer, un maillon après l'autre. Les humains savent très bien que leur seul objectif est de s'améliorer. Chaque vie à un sens réel. Tout est relié mais tout est unique, il ne faut pas l'oublier. Chaque âme à ses propres capacités et ses propres dons. Alors, pourquoi vouloir atteindre le nirvana et devenir un Dieu Suprême ? Cette question résonne comme-ci l'on me demandait pourquoi devenir heureux lorsque l'on est triste ? La réponse est claire. Peut-être même vous demandez-vous si l'œil qui abrite les Dieux suprêmes est un paradis ? Il n'y a pas de paradis comme le décrivent les religions. Le seul paradis qui existe est celui que vous créez. L'œil est un lieu de vie pour les Dieux. Chaque Dieu s'occupe d'un territoire choisi dans la spirale. Des guides les accompagnent dans leur travail. Chaque âme humaine possède des guides et des anges. Vous n'êtes pas seuls. Voilà comment ça fonctionne. Rien ne sert de vouloir tout s'expliquer. Il faut accepter ce qui est même si cela semble improbable. C'est la réalité. Vos scientifiques n'expliqueront pas tout, ils peuvent chercher, analyser, calculer, tant qu'ils n'auront pas visité l'œil, ils ne sauront rien de plus. Ils font et défont leur propre thèse. Je tiens à préciser que Les Dieux suprêmes ne sont pas les créateurs de vos religions qui ne sont que l'œuvre de l'homme. Il n'y a que l'amour et la paix qui ne sont prônés par nos Dieux. Ces Dieux ne sont pas des êtres devant lesquels on se prosterne, ils sont des êtres de lumière, des êtres d'amour et de non-jugement. Ils ne promettent aucun paradis car chaque parcours de vie est unique et chacun des êtres vivants dans la spirale atteindra un jour le nirvana, quels que soient les chemins empruntés. Les âmes sont nées pour grandir et pour se bonifier. »

3) Le monde de l'illusion

« Le chemin que l'on emprunte peut-être altéré. Ce que je veux dire par là c'est qu'on ne peut pas progresser avec des idées floues, obstruées par les drogues et autres substances illicites.

Personne ne peut atteindre ainsi le Nirvana. Il s'agit d'un chemin détourné pour fuir et éviter sa vie. Rien ne peut s'arranger en empruntant la voie du monde de l'illusion. La seule personne apte à améliorer sa vie est celle que tu regardes dans le miroir. Personne ne pourra le faire à ta place et aucune substance n'améliorera tes conditions. Tu ne verras clair qu'en accordant à ton corps et à ta tête le chemin de la pureté. Nettoie donc ton âme, ton corps et ton esprit. Retourne à la vie équilibrée à laquelle tu aspires. Mange sainement et ne mets pas dans ton corps des produits néfastes. Évite le sucre qui est une « drogue » comme les autres. Mange avec la nature et les saisons. Le monde est bien fait. Se concentrer sur soi permet d'obtenir une stabilité de vie. Tu ne peux pas trouver ailleurs ce qui te manque, tu le trouveras en toi. Être en paix avec soi-même permet d'apprécier ce qui vient à toi, à accepter ce qui est, à prendre le meilleur et parfois à affronter. Tu dois être acteur de ta vie, l'inaction n'amène à rien de bon. Agis, aime, accepte et vis. Vis chaque moment comme tu dois le vivre avec intensité, avec émotion ou dans la retenue mais sois bien sûr que cet être qui le vit, c'est bien toi. Que rien n'a modifié ta vision des choses. Ne te mens pas. Aime-toi. Tout ne peut pas être simple et facile mais tout peut être accepté et vécu comme cela doit être c'est-à-dire sans altération. Dans chaque situation, il y a toujours du bon quoi qu'il arrive, quoi qu'il se passe d'heureux ou de malheureux. Le temps est un ami et c'est pour cela qu'il a été donné. Il n'y a que cela à savoir au fond. Sois l'humain que tu dois être et peu importe le reste. Ne deviens pas un autre en prenant des remèdes empoisonnés qui changeront ce que tu es. »

Dernières questions à Misteo

ELUAN : Il est difficile de garder son calme quand certains événements arrivent. Comment vivre avec des âmes de basses vibrations ?

MISTEO : N'oubliez pas que vous avez été comme ça. Le problème est de ne plus s'en souvenir. Je dirai donc qu'être bien avec soi-même est un premier pas pour accepter les autres mais que cela ne suffit pas. En fait, je pense que l'on a toujours le choix. Le choix de réagir à la bêtise de façon violente, menaçante, insultante et en absorbant les énergies négatives des autres dans son corps ou bien en se détachant de la situation si on peut le faire. Le détachement est une force dans des situations néfastes. L'acceptation par contre est la base de tout. On peut accepter en souriant, accepter en comprenant ou accepter tout court. Accepter ne signifie pas qu'il faut ignorer les choses. Il faut accepter que certaines âmes vibrent bas mais cela ne signifie pas qu'il ne faut pas réagir si une personne est en danger. Accepter ne signifie pas devenir inactif. L'idée est d'admettre que chaque âme évolue de façon plus ou moins rapide. C'est vrai qu'il y a beaucoup de différences dans les vibrations terrestres et que du coup cela crée des fossés de niveau. Il faut comprendre que ça permet d'évoluer plus vite ou a contrario de stagner. Avoir à faire et côtoyer des êtres de basses fréquences est difficile, voire douloureux. C'est pourquoi il est important de relever votre niveau vibratoire en présence de ces personnes. Il n'y a pas de clés c'est une question de travail sur soi et d'élévation de soi.

ELUAN : Comment choisit-on nos réincarnations ?

MISTEO : La vie est emplie de phases. On peut parler de la naissance, d'enfance puis d'adolescence ou encore d'âge adulte, de vieillesse puis de fin. Il y a donc six phases dans la vie humaine et dans toute vie qui connaît la mort. La fin est une phase de libération. Il y a donc un passage entre la mort et la vie qui s'appelle la suspension, où l'âme choisit ce qu'elle souhaite apprendre de nouveau pour se développer. Certaines âmes choisissent la facilité en prenant corps dans des vies sans encombre. Ces âmes progressent lentement. Puis, il y a les âmes plus courageuses qui s'orientent dans des vies complexes mais qui accéléreront leur processus de développement spirituel. Chaque âme a le choix. Rien n'est imposé. Ce qui signifie que chaque Humain a décidé de sa vie actuelle. Toute vie se transforme. Il faut donc mener à bien sa vie en sachant que rien n'est figé.

ELUAN : Comment un être humain peut apprendre à gérer ou accepter la maladie ?

MISTEO : Quand un corps est malade, c'est qu'il n'a pas été traité correctement. Je sais que mes mots peuvent choquer mais les modes de vie que vous avez sur terre ne vous aident pas à être en osmose avec votre véhicule terrestre. Le stress est en partie responsable des maladies. Le fait de « tout faire vite » aussi. Courir après tout et ne jamais souffler, ne jamais prendre le temps n'est pas bon pour le corps qui a besoin de repos. Au contraire, trop de repos affaiblit le corps. Il y a donc un juste milieu. Vous devez gérer votre mental, trop bruyant, pour vivre en paix. Être bien dans sa tête, c'est être bien dans son corps. Vous vivez dans un monde où la sur médicamentation n'aide pas. Les plantes sont une bonne alternative, le sport et le bien-être mental. Pratiquez la méditation. Vous avez tout pour être bien et heureux. Ce que vous mangez, respirez a de l'importance ainsi que votre façon de vivre. Prenez soin de vous. Aimez-vous profondément mais oubliez votre ego. Allez de corps en corps est perturbant pour les âmes apprenantes mais l'acceptation est la clef de tout, et ce même lorsque l'on est malade.

ELUAN : Pourquoi devoir mourir alors que nous pourrions progresser dans le même corps ?

MISTEO : Il arrive un moment où le développement s'arrête. Ce moment où vous penserez, j'ai fait le tour, il est temps pour moi d'y aller. Qu'apprendriez-vous de plus à cent ans avec un corps fatigué de vivre ? On meurt et il faut prendre cela comme une régénération. Vous repartez dans un corps tout neuf si votre choix est d'aller vers une vie physique. C'est l'idée que l'on se fait de la mort qui pose problème. Peut-être qu'en changeant votre vision des choses vous serez heureux le jour du grand voyage. La mort est un passage important pour l'être humain. Elle est un point essentiel pour la suite de l'évolution de l'âme. Regardez comment est célébrée la mort dans chaque Ethnie. Elle est fêtée, pleurée, respectée ou attendue comme une libération. Comme je l'ai dit, la mort n'est pas une fin mais une continuité. Certes, il faut abandonner un corps pour renaître dans une vie terrestre ou extraterrestre tout dépendra de l'aventure à venir désignée. Cela peut être une vie immatérielle emplie de sensation. La mort est une continuité. On pleure quelqu'un qui meurt parce que l'on pense ne plus le revoir. Les âmes ne s'en vont jamais, on les recroise ici, ailleurs… Il ne faut pas limiter son esprit. C'est tout le problème de vivre dans un corps c'est que l'on ne voit pas toutes les possibilités qu'un être possède. L'être qu'il soit Humain ou Atlante n'est pas qu'un corps physique. Le corps n'est qu'un véhicule pour se déplacer et expérimenter. L'âme est celle qui accumule les expériences de vie, c'est elle qui fait de vous ce que vous êtes. L'âme est un tout. Elle vous représente. Votre âme sait tout de vous. Elle sauvegarde vos anciennes vies. L'âme sait que la mort n'est pas la fin. J'aimerais que vous soyez en paix avec elle. Ne la voyez plus comme une ennemie.

Retour sur terre

Nous voilà de retour sur terre. Nous avons été portés disparus pendant près de quatre ans alors que nous avions l'impression d'avoir passé six mois sur Bilem. Nos corps n'ont jamais été retrouvés, ça nous fait sourire. Les médias ne parlent que de nous et de notre retour inexpliqué. Chacun d'entre nous a été contacté par des journalistes pour donner un éclaircissement logique à notre absence. Nous avons décidé de ne donner qu'une seule et unique conférence de presse. Nous y avons convié les médias du monde entier. Nous y ferons un discours et diffuserons les images que nous avons eu l'autorisation de transmettre. Est-ce que le monde comprendra ? Ce sera un bouleversement des croyances ancrées dans nos têtes depuis l'aube des temps et l'enfance. Nous sommes sous surveillance depuis notre retour et avons des gardes du corps collés à nous soir et matin. La vie a repris son cours mais Atlantea nous a laissé des traces indélébiles. Nous sommes marqués à jamais et avons du mal à nous réintégrer dans ce monde sauvage et sans pitié. Le monde tourne, tourne mais rien ne s'arrête. Ici et là, la vie reprend. Si la terre s'arrêtait de tourner, si l'être humain s'éteignait à jamais, la vie continuerait sans nous, la nature reprendrait ses droits et tout serait plus beau. Peut-être ne serait-ce pas si mal au fond ? Sommes-nous des personnes honnêtes et saines d'esprit ? Il y a

193

des questions à se poser quand on voit ce que l'homme est capable de commettre comme crime ou comme saccage. Faut-il vraiment tout dévoiler ?

Et si c'était notre dernier jour, les Atlantes nous offriraient-ils une terre d'accueil ? Il ne faut pas oublier que nous ne sommes qu'une infime partie d'un tout et que ce tout peut très bien vivre sans nous qui nous prenons pour le centre de l'univers. Chaque petit geste est important. Le citoyen lambda qui trie ses déchets a le mérite d'agir au quotidien. C'est un petit pas qui peut devenir un pas de géant si dix, vingt, trente ou mille personnes décidaient de faire pareil. Un geste positif peut amener à changer le regard des autres et créer une sorte d'environnement propice au changement. On ne peut pas toujours remettre la faute sur les gouvernements parce que s'ils ne font rien, nous pouvons le faire. Nous sommes plus forts, plus nombreux. Nous petites âmes avons le pouvoir de mener des actions positives et de pousser au bouleversement. Ces actions dépendent de nous. Nous avons les clefs de notre destin. Chacun est concerné. Nous ne sommes pas bloqués dans ce système. Nous sommes des êtres libres, libres de tout. Et celui qui croit ne pas l'être se rendra vite compte qu'il est maître de ses choix à tout instant de sa vie. Libérons-nous de notre mental, prenons possession de notre esprit. Mon équipe et moi-même croyons en l'être humain et c'est pour cela que nous avons décidé de parler. L'être est profondément bon. J'espère que l'histoire que nous avons vécue ouvrira les consciences. L'être humain n'est pas soumis à l'échec comme on veut bien nous le faire croire. Chaque être humain a un pouvoir. Ce pouvoir s'appelle le libre arbitre. Chacun est libre de penser, d'agir et de créer sa propre vie comme il l'entend.

La conférence de presse

C'est le jour J, les journalistes sont nombreux dans la salle de conférence. Il a été décidé d'un commun accord avec mon équipe que je serai la voix de tous. C'est donc avec honneur et fierté que je prends la parole.

« Bonjour à tous. Je m'appelle Eluan, je suis reporteur aventurier mais ça n'a pas d'importance. Les membres de mon équipe sont Pablo Paci, ami de longue date et aventurier depuis peu. Paolina Petri, aventurière, chercheuse spécialiste des langues anciennes et Egyptiennes. Lisa Bario, aventurière, spécialiste de la survie. Ahmed Dibri, archéologue, guide en Égypte.

Je suis le fils de Paolo Perani, chercheur et enseignant à l'université de recherche de Rome. Mon père est mort un peu avant notre volatilisation. Il a mené des fouilles en Égypte une majeure partie de sa vie et ce qu'il y a trouvé lui a coûté la vie. J'ai repris le flambeau à sa demande et je peux dire qu'il a fait une grande partie du travail. J'espère, Mesdames et Messieurs, que vous êtes prêts à entendre et à accepter notre récit.

Je suis de retour à Rome avec mon équipe et chacun de nous va reprendre le cours de sa vie, je l'espère. Je peux dire que nous avons tous changé. Rien ne sera plus pareil pour moi, mon équipe et pour vous tous. Nous revenons de loin avec des consciences éveillées. Voulez-vous savoir ce que nous sommes ? Qui nous sommes ?

Nous sommes un tout. Liés les uns aux autres par un fil d'énergie. À jamais connectés et faisant partie intégrante de l'univers. Je vais parler pour moi mais mes camarades ressentent les mêmes sentiments. Je n'avais pas vu la vie comme ça. Je sais qui je suis, d'où je viens et ce que je fais sur terre. C'est valable pour nous tous. Pourquoi avons-nous disparu plus de quatre années ? La vérité c'est qu'il existe quelque chose de beaucoup plus grand que nous et que nous n'avons plus le temps de nous lamenter sur notre propre sort. Chacun doit accomplir sa destinée. Chaque être vivant à un rôle à jouer. Il faut retrouver sa source et son chemin et je vais être plus concret. J'ai suivi les traces de mon père. Celles-ci nous ont menés jusqu'en Égypte. Là-bas avec l'aide de mes amis nous avons trouvé une porte secrète. Un passage qui nous a conduits vers un monde tout d'abord parallèle puis extérieur à la terre. Ce monde se situe à des milliards de kilomètres de la terre et s'appelle Bilem. Avez-vous une idée des êtres qui peuplent cette planète ? Non évidemment, personne ne le sait. Je ne le savais pas non plus. Cette magnifique planète accueille sur sa terre le peuple des Lavitiams, le peuple Atlante. Une partie de ces terres ont été offertes aux peuples indigènes de notre planète : les Amérindiens en partie et quelques Aborigènes… »

Des cris de stupéfactions et des rires retentissent mais je ne me démonte pas et continue mon discours.

« Nous détenons toutes les preuves ! »

Un journaliste m'interpelle : « Où se trouve ce passage et quand verra-t-on les preuves ? »

« Patience. Nous avons trouvé le passage pour nous rendre sur cette planète mais je ne donnerai d'aucune manière la façon de s'y rendre. Vous pourriez nous torturer, aucun de nous ici ne parlera. Il y a des étapes à franchir. Nous ne prendrons pas le risque de mettre ces peuples en danger quand on voit ce que l'on fait sur notre propre planète et comment les hommes s'autodétruisent, il est mieux de protéger ces êtres purs. Je préfère donc parler de notre voyage initiatique pour commencer. L'Atlantide n'est pas une légende. Chers amis, ils sont vos ancêtres. Le sang des Atlantes coule dans les veines de certains d'entre vous. »

Stupeur une fois encore.

« Croyez-moi. Vous pouvez crier ou vous indigner de mes propos. Nous avons le reportage et je vous propose un visionnage de notre aventure ainsi qu'une consultation de mon carnet de notes que je vous remettrai à la fin du film. Je voudrais que vous preniez conscience de ce que cela signifie. Le monde et votre vision du monde va changer. Il doit changer car nous n'avons plus le temps. Nous arrivons à un point de non-retour. La Terre est en danger et le plus grand danger que connaît la terre s'appelle l'Homme. Je compte sur vous pour répandre toutes les informations que vous aurez au plus vite car il faut faire changer les mentalités. Il faut que nos actes et nos actions changent. Je demande donc à tous les journalistes ici présents de ne rien cacher de ce que vous allez visionner. Soyez honnêtes avec vous-mêmes et avec les gens qui vous lisent. Trop de mensonges nous sont inculqués depuis notre enfance. Il est temps de changer les choses.

Vous voyez ces tatouages ?

— J'aime, j'agis, j'accepte.

— Tout est sacré, tout est relié. Tout change avec l'intention.

— L'esprit est celui qui doit te guider.

— Vis ce que tu es.

— Akman nok bat

— Regarde avec tes yeux, écoute avec ton cœur et ressens avec ton esprit.

Ils sont le fruit de notre aventure. Ils sont le fruit de ma transformation. Des êtres suprêmes existent et ils ont un savoir plus grand que le nôtre. Il faut accepter cela. Il est temps d'ouvrir les yeux. Il est temps de changer nos comportements. Il est temps de prendre conscience que nous ne sommes rien au milieu d'un tout. Nous sommes infiniment petits et reliés les uns aux autres, nous formons ce tout. Je vais m'arrêter là. Vous pourrez poser vos questions après le visionnage. Pablo, je t'invite à diffuser le documentaire que nous avons réalisé ».

Face aux questions

Après avoir regardé les images, les journalistes ont retrouvé le calme mais n'ont rien perdu de leur curiosité.

JOURNALISTE : Vous prétendez avoir été en contact avec plusieurs espèces extraterrestres sur une planète que personne n'a encore détectée ?

ELUAN : Nous avons été en contact avec les Atlantes et les Lavitiams, des êtres vivants supérieurs aux humains, autant au niveau de l'évolution spirituelle qu'au niveau technologique et scientifique. Nous avons également côtoyé les peuples terriens, Amérindiens et Aborigènes qui sont des peuples plus évolués que nous. Je n'aime pas trop le terme extraterrestre, il est péjoratif. Quant à Bilem, elle n'a jamais été détectée par nos scientifiques tout simplement parce que nos moyens technologiques ne sont pas assez performants et que nous n'en sommes qu'au début.

JOURNALISTE : Est-ce qu'il faut comprendre que nous descendons tous des Atlantes ?

ELUAN : Non. Une partie des humains descend des Atlantes, une autre partie d'autres peuples venus d'ailleurs et puis, les indigènes, eux sont les vrais habitants de la planète Terre.

JOURNALISTE : Nous avons donc volé les terres des Indigènes ?

ELUAN : Tout à fait mais la terre n'appartient à personne. Les Indigènes eux le savent bien.

JOURNALISTE : Que pensez-vous de la destruction de l'Amazonie ?

ELUAN : Que voulez-vous que j'en dise ? L'humain détruit et il détruit souvent ce qui est le plus précieux. C'est une grosse erreur que de dilapider l'un des plus gros poumons de la terre. Comme nous l'ont dit les Atlantes, c'est notre dernière chance d'agir. Si nous n'agissons pas, il n'y aura plus d'humains pour respirer l'air de la planète. Plus d'humains pour profiter de la beauté de la terre. Nous ne sommes rien au milieu de la terre et tout avec elle. Peut-on jouer encore longtemps avec les lois de la nature ? J'en doute.

JOURNALISTE : Vous dîtes qu'il s'agit de notre dernière chance ?

ELUAN : Nous devons agir vite car nos modes de vie détruisent tout à une allure phénoménale. Les Atlantes ne seraient pas venus à nous si tout allait pour le mieux. Si nous ne mettons rien en œuvre, nous courrons à notre perte. Il faut que nous changions nos mentalités et si les gouvernements ne veulent rien faire, nous le pouvons.

JOURNALISTE : Comment agir sans l'appui des gouvernements ?

ELUAN : Qui achète ? La population ou les gouvernements ? Je vais prendre des exemples. Si demain, en faisant mes courses, je décide d'acheter uniquement des produits sans emballage plastique, je peux le faire. Si demain, je souhaite voyager et découvrir le monde, j'éviterai les bateaux de croisières qui émettent pour un bateau seulement autant de particules fines qu'un million de voitures. Si demain, je décidais d'aller travailler à pied ou à vélo, ou en faisant du covoiturage, je choisirais de prendre soin de la planète. Alors vous voyez, si nos gouvernements ne veulent rien faire, c'est à nous d'agir et de réagir. Il faut arrêter de se complaire dans notre petite vie bien tranquille. Changeons nos mentalités. Les gouvernements seront obligés de nous suivre parce que le peuple est maître. En consommant mieux et avec moins de déchets ou plus intelligemment on peut créer une chaîne. Soyons honnête avec nous-mêmes nous aimons cette vie ou tout est facile et avouons-nous aussi que seul les courageux oserons. Nous avons le contrôle de notre vie. Chacun de nous est responsable. Et si nous voulions offrir un peu d'air à notre terre, nous pouvons le faire.

JOURNALISTE : Faut-il encore que les Hommes suivent…

ELUAN : L'homme est bon. Il sait d'où il vient et qui il est. C'est écrit dans nos gênes. L'homme se retournerait contre sa propre mère, la terre ? L'homme refuserait-il de respirer un air plus pur ? D'avoir une vie plus équilibrée ? Vous savez, nous nous sommes posé la question, à savoir s'il fallait que l'on dévoile tout ou pas. Si l'homme n'allait pas une fois de plus tout détruire ? Et avec mes amis, nous avons conclu que même chez le plus stupide des hommes, il reste une part d'humanité. Nous sommes des êtres bons et purs et je crois que le tourbillon de cette vie, de la vie que l'on veut nous donner, nous épuise. Il est temps de devenir les héros de nos propres vies et d'agir. Il est là le moment ou chaque être vivant sur cette planète à son mot à dire pour persuader les autres. C'est dans notre intérêt, ce n'est pas dans l'intérêt de la Terre puisqu'elle survivra sans nous mais c'est bien notre propre intérêt… Ce qui arrivera si on reste là à accepter notre sort, sera alors voulu et accepté.

JOURNALISTE : J'adhère à vos propos et je sais que chacun de nous ici présent va y réfléchir. Je voulais pour ma part revenir sur Les Atlantes. Est-ce que l'on nous a caché nos origines ? Pourquoi vouloir nous persuader que l'on descend des Australopithèques si ce n'est pas le cas ?

ELUAN : Je crois que nous ne pouvions pas l'imaginer. Quand on ne sait pas, on tente de donner une vérité pour apaiser. Peut-être même que notre esprit arrive à se convaincre. Nos gènes ont de grandes différences avec ceux des premiers hommes, on peut même dire qu'ils n'ont que très peu de similarité. Nous avons des gènes communs avec les êtres habitants l'univers tel les Atlantes.

JOURNALISTE : Pourquoi vouloir nous donner une fausse vérité ?

ELUAN : Les gouvernements ne pouvaient pas nous dire que nos gènes n'étaient pas reconnus. Cela aurait signifié que nous n'étions pas de la planète Terre ou à moitié. Cela aurait été un aveu.

JOURNALISTE : Il semblerait que notre ADN soit à 99 % commun avec celui des chimpanzés ?

ELUAN : C'est notre proche cousin mais je ne saurais vous en dire plus sur le sujet. Si ce n'est que j'ai beaucoup parlé avec Misteo de la conscience animale.

JOURNALISTE : Les animaux sont-ils conscients ?

ELUAN : Les animaux ont une conscience. Ne pensez pas qu'ils ne vous comprennent pas, nous ne parlons pas le même langage c'est tout. Ils ont des sens ultras développés. Ils ressentent.

JOURNALISTE : Concernant Râa, la grande prêtresse, a-t-elle un rapport avec Râ, Dieu Égyptien créateur de l'univers ?

ELUAN : Râa et Râ sont les mêmes personnes. Les Égyptiens et les Atlantes sont étroitement liés. Ils croyaient en des Dieux et des Déesses qui ont vécu sur leur terre.

JOURNALISTE : Pourquoi les Égyptiens ont ce lien profond avec les Atlantes ?

ELUAN : Ils ont recueilli les Atlantes quand ces derniers ont connu de grandes difficultés.

JOURNALISTE : Avons-nous tous en tant qu'être humain du sang Atlante ?

ELUAN : La réponse est non. Comme indiqué dans le reportage, les Amérindiens, les Aborigènes et les peuples Indigènes sont des peuples de la terre mais il existe un grand nombre de peuples indigènes qui aujourd'hui ont un mode vide moderne. Il y a également des indigènes métissés donc, il est difficile de définir un panel.

JOURNALISTE : Qu'est-ce que cela change au fond d'avoir accès à ces informations ?

ELUAN : Drôle de question. Cela change tout. Tout ce que l'on a pu nous dire jusqu'à présent est erroné. Connaître la vérité et nos origines n'est pas important pour vous ? C'est la clé pour évoluer.

JOURNALISTE : Je ne sais pas trop. Ça changera quoi pour moi de savoir tout ça au fond ?

ELUAN : Voilà un comportement bien égoïste. Ce que cela changera, c'est notre mode de vie. Ce que cela va changer c'est notre vie. Pourquoi ? Parce que nous allons changer le cours de l'histoire. Dans peu de temps, nous aurons le choix de la route à prendre. En saisissant la main tendue des Atlantes, nous sauverons notre monde. Avec un comportement comme le vôtre, nous n'avons plus qu'à être fatalistes et attendre la fin. Vous êtes nombriliste, centré sur vous-même mais vous faites partie d'un tout. N'oubliez pas cela. Comprenez que si l'homme est effacé de la planète Terre, la planète reprendra de sa splendeur. C'est nous les bactéries de la planète et parfois je pense qu'il faudrait qu'elle se guérisse de nous mais je veux croire en l'être humain. La terre est reine, nous ne sommes rien à côté.

JOURNALISTE : Vous dîtes en quelque sorte qu'il faut rendre de sa valeur à la terre, arrêter de la polluer, de la bafouer, de la violenter. Comment la population mondiale peut-elle prendre conscience de tout cela de façon massive ?

ELUAN : Ce sera la dernière question à laquelle je répondrai. Vous êtes journalistes, vous diffusez les informations récoltées et trop souvent erronées. C'est à vous maintenant de parler de ce que nous avons vécu et du message qui nous a été transmis. C'est à vous de braver les interdits de vos gouvernements pour qu'une majorité de gens ouvrent les yeux. Je sais que vous pouvez le faire. Si chacun de vous transmet la vérité, les consciences s'éveilleront et vous aurez une part de fierté dans ce que vous aurez fait. Je sais que ce ne sera pas simple et que vous risquerez vos emplois, que vous serez menacés mais plus vous serez nombreux dans la diffusion de ces informations et moins il y aura de conséquences. Les gouvernements plieront. Les gens suivront car, je crois que chacun de nous a envie de réagir et de voir le monde changer, les hommes se transformer et devenir ce qu'ils sont. Nous ne pouvons plus vivre comme ça. Nous avons atteint les limites et il suffit de peu pour que tout implose. Remarquez à quel point les êtres ne sont centrés que sur eux-mêmes, à quel point nous avons oublié ce que nous sommes. Ce monde-là est sans saveur et sans couleur. Le monde est une fête, les gens doivent échanger entre eux, s'entraider et respecter Gaïa, leur mère. Toutes ces cruautés, cette indifférence, ce n'est plus possible. Qui sommes-nous à la fin ? Que voulons-nous, pour nous, pour les autres et nos enfants ? Souhaitons-nous cette vie où tout s'achète et même l'amour ou une vie saine ? N'en avez-vous pas marre de ce système ? Qu'évoque la nature pour vous ? Toutes ces questions sont importantes et marqueront la suite de notre histoire. L'humain ne sera-t-il que de passage ? Un pauvre souvenir qui deviendra une légende ou un mythe dans quelques milliers d'années ? Tout le monde se fout de tout, ce sont les laxistes et puis il y a ceux qui prennent le combat à bras le corps mais qui en font trop, ce sont les extrémistes. Ne pouvons-nous pas avoir un peu de rigueur, un juste milieu, aimer ce qui nous entoure et le rendre ? Est-ce si dur à faire ? Pouvons-nous créer un mouvement sain avec au centre : l'être et la nature ? Chaque geste que nous faisons doit être pesé. Si j'achète telle chose alors quelle conséquence cela aura ? Gardez toutes ces questions en vous… Avec mon équipe, nous avons fait notre travail, nous aimons la terre et nous nous considérons comme citoyens du monde. Nous aimerions que le message des Atlantes sonne aux oreilles des humains car une part d'eux vit en nous. Nous n'avons plus qu'à prier et espérer que les choses changent enfin. Merci pour votre écoute. Merci pour la suite que vous donnerez à cette aventure sur terre.

La conférence de presse finie, nous ne tenons plus le destin de la planète Terre entre nos mains. Ce que sera demain, personne ne le sait mais nous savons bien ce que nous ne faisons pas aujourd'hui. Nous savons ce qu'il y a à faire pour demain mais nous ne faisons rien. L'humain est-il inconscient ? L'avenir en parlera.

Et toi, comment vois-tu le monde ?
(Lettre de la Prêtresse Lahtania aux humains)

Quel est ton regard sur le monde ? Est-il noir, gris, blanc ou multicolore ? Est-il joyeux, pessimiste, haineux ou sans intérêt ?

Penses-tu vraiment que nous ne sommes rien ici-bas ? Juste le fruit du hasard ? D'un Big Bang ? Penses-tu être seul et unique dans cette immensité ?

Vois comme le monde est bien fait, comme chaque détail a été pensé avec minutie et intérêt. De la naissance jusqu'à la mort, tout est parfait. Absolument tout. Tout ce qui arrive est source d'éveil. Toutes les larmes que tu verses, tous les sourires que tu donnes. Toutes les blessures, toutes les joies. Rends-toi à l'évidence quelque chose de plus grand que toi existe et t'observe. Et ce quelque chose c'est l'Univers. Univers que tu peux appeler Dieu si telle est ta conception. Cet univers fait partie de nous et t'offrira tout ce dont tu as besoin. La clé : demande-lui, visualise. Travaille et travaille encore. N'aie plus peur de demain. N'aie pas de crainte car demain n'est pas là. Hier, n'est plus. Seul, le présent compte, seule la seconde qui passe existe. Que sais-tu de demain ? Rien. Demain est une illusion. Sois la lumière. Entre en elle. Deviens le meilleur de toi-même. Ressens ce lien qui t'unit à l'univers et aux autres mais n'oublie jamais que tu affrontes la vie seul. Chaque être est sacré et divin car chaque personne porte en elle une partie de l'univers, une partie de Dicu. Ne te sous-estime plus. Relève la tête. Vois comme le monde est beau. Ne te contente plus de vivre sans envie, observe, ouvre les yeux, souris et dévore la vie autant que tu le peux. Ne gâche aucune seconde. Avance. Tu es un des liens de ma vie, de la vie des humains et des peuples extraterrestres. Tu es un canal. Tu es utile. Ton sang est le même que le mien. Aime-toi, aime les gens qui t'entourent. Vois la vie et le monde avec un regard neuf. Réinvente-toi. Tu es maître de ta vie. Tu crées par tes pensées tout ce que tu vis. Tu crées ta vie, ton épopée, ton aventure. Personne n'est responsable de tes propres souffrances. Tu es responsable de ton sourire et des intentions que tu portes dans ce monde. N'oublie pas que tu es unique, que tu es un être exceptionnel et personne ne peut t'enlever cela. Tu es un univers à toi tout seul, tu es l'amour, la lumière, tu es le bien. Chaque situation t'amènera là où tu dois aller. Ne perds pas de temps à te lamenter, la vie est bien trop courte. Sois honnête et droit. Le monde sera ce que tu en fais. Le monde devient ce que tu veux qu'il devienne. Apprends de tes erreurs et grandis. N'aie pas peur d'être jugé. Aime, donne, reçois. Accepte les épreuves, affronte-les sans fuir. N'aie pas peur de souffrir. Sois digne et vois le positif en chaque situation, car même douloureuse, cette situation sera ton amie et t'apprendra. Tu vis car tu as une ou plusieurs missions à accomplir et chaque être passe pour cela. Cette mission peut être grande ou plus humble, il faut juste la suivre pour trouver son bonheur.

Comment savoir quelle est cette mission ? Chaque jour, tu te poses cette question. Pourquoi suis-je là sur la planète ? Certains, naturellement, vont vers ce qui les attire. Ils ont cette chance d'être poussés et ce bonheur de savoir où ils vont. Tout le monde sait. Nous dévions. Et puis, il y a ceux qui font et qui font bien mais qui pensent pouvoir faire encore plus grand. Il y a ceux qui ne font rien et qui attendent puis il y a ceux qui avancent dans le doute.

Recentre-toi sur toi-même. Ne crois pas que le monde t'appartient, rien n'est acquis, rien n'est à toi et rien de t'est dû. Tout passe. Le temps te rappellera cela. Le temps te fera comprendre que ta jeunesse n'est qu'illusion. Le temps t'assagira, puis tu partiras. N'emportant avec toi que l'expérience de ta vie et quelques regrets. Tu iras alors vers de nouvelles contrées. Alors que feras-tu de tes idées reçues, de tes jugements sur les autres, de tes lamentations sur ton sort ? Elles ne seront plus car seules les belles idées resteront. Bien, une fois que tu as compris cela, ne juge plus. Accepte. Accepte que la colère te mène sur des chemins qui ne te ressemblent pas. Qu'elle te pousse à condamner les autres dans leurs actes même minimes. Accepte le fait qu'au lieu de te concentrer sur toi, tu te concentres sur les autres pour te nourrir. Accepte cela. Nous passons tous par là. Nous plongeons tous par ces travers. Une fois que tu as compris cela. Avance pour toi. Mets-toi des défis. Deviens grand. Grand dans ta façon d'agir et d'être. Tu n'as pas de limite ni mental ni physique. Ta conscience est ta force.

Tu trouveras la lumière quand la paix se livrera à toi et pénétrera ton corps. La lumière ne peut surgir que lorsque l'âme est guérie de ses maux. Tant que la colère, les angoisses, le mal-être du quotidien seront présents, rien ne sera jamais serein autour de toi. Guéris tout cela pour aller mieux. Mesure l'importance de tout ce qui t'entoure. Classe les choses de la vie par degrés. Tu verras que souvent tu te soucies d'un rien. Nous sommes nés pour trouver cette lumière. Toutes les religions sont belles à partir du moment où ces religions vous apportent paix et amour de vous-même et des autres. Si cette religion est faite de colère, vous n'êtes pas sur le bon chemin. Tous les défis sont beaux lorsqu'ils t'amènent au surpassement de ton être. Ne vis pas dans le calme car le bonheur n'est pas là. Accepte les épreuves, les défis. Sois le meilleur humain possible.

Seul, ancre cette donnée dans ta mémoire. Seul, tu es seul. Il n'y a rien à attendre des autres. Cette aventure humaine tu la vis pour toi. Il ne faut pas que cela fasse de toi un être égoïste bien au contraire, tu dois donner pour recevoir ou donner juste par plaisir. Il est important d'ancrer cette information dans ta mémoire. Tu es seul, tu affrontes tes problèmes seul. Parfois, il y aura de belles surprises. D'autrefois, de grosses déceptions. Peu importe. Quoiqu'il en soit, ne rien attendre des autres est l'une des recettes du bonheur. C'est aussi une recette pour être plus fort. Ton chemin doit être mené sans attendre des autres.

L'humain est humain et agit comme tel. Il ne sait pas la force qu'il possède. Ne sait pas ce qu'il est capable de faire. Il réfléchit mais doit agir. L'humain a un potentiel énorme qu'il doit exploiter. C'est fini le temps des lamentations. Tout arrive à celui qui veut vivre et rien à celui qui dort.

Humain lève-toi, marche, agit par plaisir et sans but réel juste pour devenir le meilleur de toi-même.

Humain reprend ta vie en main, sème pour avoir des fleurs cet été. Souffre s'il le faut, s'il faut cela pour comprendre qui tu es. Rien ne peut s'apprendre dans la joie. Ton esprit ne se renforcera pas dans la douceur. Comprends que toutes les douleurs sont des chocs pour ta conscience et que tout cela est fait dans un seul but, ton éveil. Ne vis pas comme une victime. Redresse-toi, deviens un guerrier pacifique et va au-devant de l'adversité et des expériences. Humain, tu es beau. Cesse donc de te plaindre et de tout refuser. Il suffit parfois de dire oui pour s'ouvrir à la vie et à ton plein potentiel. Offre-toi des possibilités. Ne te limite pas.

Humain, la terre est ta planète, il n'y en aura pas d'autres. Aime là comme tu aimes ta propre mère. Savoure tout ce qu'elle t'offre. Deviens tout ce que tu peux être, deviens majestueux.

Message des Atlantes

Tout cela n'est qu'un leurre. Ne tombez pas dans le piège. Ne vous endormez pas. Vous êtes sous le contrôle d'âmes célestes interstellaires qui ne vous veulent pas du bien. Ces êtres néfastes veulent vous contrôler. Réveillez-vous. Ne soyez pas naïfs. Il est temps pour vous humains de vivre à nouveau. Soyez conscients. Ne devenez pas inactifs et médiocres. Soyez actifs et visez l'excellence. Ce monde d'endormis n'est pas le vôtre. L'homme est un aventurier dans l'âme. Il n'est pas un inactif qui se laisse dominer. Il est libre. Il n'a pas de peur car il connaît son potentiel. L'homme est un instinctif. L'homme n'est pas inerte, il est fait pour être un nomade, il est fait pour la terre, il est fait pour se mouvoir. Conçu pour cette planète, pour vivre avec et communier avec elle. L'homme n'est pas fait pour être l'ombre de lui-même. L'homme est manipulé par tout ce qui est nouvelle technologie ainsi son cerveau est sous contrôle, il ne se rebellera plus, il acquiescera sans tiquer car son corps s'habitue peu à peu à ne plus rien faire. Voyez toutes ces informations que vous trouvez sur internet. Voyez ces mises en avant. Ces gens qui pensent être et qui ne sont pas. Qui se mettent en avant juste pour flatter leurs ego. Qui vous disent maîtriser certains domaines mais qui ne font que prendre aux autres qui travaillent dur. Vous êtes dans un monde d'image, d'apparence et de paillettes. Ce n'est pas le vrai. Vous êtes dans un monde sans vergogne. Ces images maîtrisent votre cerveau et vous font croire que c'est bon pour vous. Ces mauvaises âmes qui vous mènent vous ressemblent, sous forme humaine. Ils sont vous. Vous-mêmes. Vous êtes prisonniers de votre mental, prisonniers du bagout de certains. Prisonniers d'un système qui vous envoie des ondes, des énergies, des messages négatifs. Plus vous vous nourrissez de cela, plus vous vous sentirez mal. Soyez dans le vrai et recherchez votre propre vérité. Vous devez vous libérer de cela. Éteignez vos ordinateurs, vos télévisions. Sortez de chez vous. N'ayez plus peur. Allez communier avec la nature. Parlez avec votre voisin. Faites ce qui vous plaît tant que vous le faites bien et que vous faites le bien. Ils sont en train de vous rendre fous ces humains blablateurs qui ne font rien de mieux que vous. Elles sont entrain de vous rendre fous ces nouvelles technologies, bien utiles certes mais tellement néfastes. Vous êtes inondés de maladies mentales. Des maladies qui vous grignotent la cervelle petit à petit parce que votre mode de vie n'est pas celui que votre corps, votre âme et votre esprit demandaient. Vous êtes responsables de cela. À vous de nourrir votre âme, de libérer votre esprit, de voir plus grand, d'ouvrir la fenêtre des possibles, à vous d'alimenter votre corps correctement. Balayez devant la porte de votre cœur. Nettoyez. Agissez. Devenez ce que vous êtes. Un être magnifique, digne et honnête. Un être à part. Un être bon et travailleur.

Vous développez des peurs. La peur est le frein pour avancer vers de nouvelles contrées. La question est :

— Préférez-vous vivre six mois intensément ou vingt ans moitié amorphes ? Qu'est-ce qui vous empêche de faire le pas ? Votre mental. Le mental est un frein à l'évolution. Vous devez montrer à votre mental qui est le maître. Quand il vous dit stop, ne l'écoutez pas, montrez-lui qui dirige et domptez-le peu à peu. L'humain est profondément bon. Il n'est pas né pour être le mal. Ce qui lui crée cette rage intérieure c'est ce système de vie pour lequel l'humain n'est pas fait. Lorsque l'homme né, il né pur, il est amour, il est beau. C'est cet état que l'humain doit retrouver. Enlevez les façades, la haine, la colère. Travaillez sur votre âme. Écoutez votre cœur. Élevez votre esprit. Vous êtes libres. Aucune révolution ne vous mènera à cette liberté car elle vous appartient déjà. C'est le cadeau que vous avez reçu à votre naissance : la liberté d'agir et d'être. Il suffit de sortir de chez vous un matin et de comprendre que ce souffle qui sort de votre corps c'est votre liberté à venir et votre liberté d'agir. Votre libre arbitre. Que tout ce qui vous entoure est le choix de votre vie. Tout ce qui est là autour de vous est votre création, votre seule et unique création. Il n'y a pas de limite. Aucune limite. Quel que soit le milieu d'où vous venez. Tout est possible. Vous devez créer votre propre monde, votre univers. Celui qui vous amène à l'apaisement. Celui qui vous fait vous sentir en osmose avec la vie et avec votre être. De quoi avez-vous peur puisque l'univers répondra à toutes vos demandes. Sachez juste demander. Ne trouvez plus de fausses excuses. Vous êtes responsables de votre vie. Cette phrase est importante pour votre évolution. Vous êtes responsables de votre Vie. Tout ce qui arrive est ce que vous avez créé. Créez un monde d'amour et celui-ci sera le vôtre. Créez un monde d'aventure et vous l'aurez. Ne vous plaignez plus de votre vie car celle-ci a été créée par vous-mêmes Changez chaque jour vos habitudes et visualisez celui que vous souhaitez devenir. Agissez.

Les Atlantes ont fait bien des erreurs et comprennent aussi la difficulté de la vie Humaine. Nous sommes vous avec des milliers d'années d'existence en plus. Notre sang coule en vous.

Le Sang d'Ashlem et de biens d'autres Atlantes. Vous êtes le mélange des genres de l'univers. Vous êtes une force dans cet univers si vaste. La vie a un réel sens. C'est cela qu'il faut comprendre et chaque fois où vous vous perdez, ce que vous appelez le hasard ou une coïncidence apparaît sur votre route pour vous remettre sur le droit chemin. C'est l'univers qui vous rappelle à l'ordre ou qui vous guide. Car tout, tout à un sens. L'arbre aussi petit soit-il que vous planterez demain, rendra heureux des milliers de personnes après-demain. Certes, vous ne serez pas là pour le voir grandir mais vous aurez agi. Ceci est un geste d'amour et d'altruisme. Semez des graines, soyez actifs. Réalisez-vous mais réalisez-vous en étant honnêtes envers les autres et envers vous-mêmes. Réalisez-vous en étant des êtres responsables. Toutes les émotions négatives que vous dégagerez seront reportées sur votre vie ou votre prochaine vie. Le moindre petit mot qui blesse sera inscrit comme une dette dans votre futur. N'oubliez jamais cela. Le moindre mal, le moindre mensonge seront une créance, tous comme les actes plus graves encore. Ne jugez pas les autres, faites attention à vos pseudo-conseils qui peuvent faire plus de mal que vous ne le pensez. Un mot peut détruire une vie. Pesez vos paroles. Concentrez-vous sur vous et sur vos actions.

Mille Dieux peuvent exister, alors mille Dieux vous devez aimer car Dieu est bon et que Dieu est en vous. Pas comme une religion mais par le simple fait d'être ici-bas. Vous devez honorer ces Dieux, non pas en vous prosternant mais juste en les remerciant de tels miracles. De ce miracle qu'est la vie. Vous devez faire de votre vie quelque chose de merveilleux et si vous n'y arrivez pas c'est seulement parce que vous n'avez pas la volonté de la rendre merveilleuse. Soyez responsable. Responsable de vous, de vos pensées et de vos actes. La vie n'est pas facile et il faut l'affronter pour espérer grandir et devenir. La fuite ou le refus de voir cela vous réincarnera au même stade d'évolution avec les mêmes épreuves à braver et à régler.

Nous, les Atlantes, demandons aux Humains de devenir responsables. Nous supplions les Humains d'opérer à un changement profond. Nous invitons les Humains à travailler sur eux-mêmes. Nous nous adressons aux Humains pour qu'ils sortent de ce monde superficiel dans lequel ils sont entrés et dans lequel ils s'engouffrent. La vie est faite de souffrances parce qu'elles font grandir plus vite, l'artificiel maîtrise le mental pour faire croire que tout est possible sans travail, sans douleur. Le sens de la vie est de progresser, d'apprendre et d'évoluer. Prenez des leçons de chaque épreuve douloureuse. Ne fuyez pas. Affrontez votre vie. Nous, les Atlantes, demandons aux humains de peser chaque mot et chaque geste. Votre espèce est en danger, ouvrez les yeux, reprenez le contrôle de votre vie. Soyez forts et dignes. Regardez-vous avec fierté pour tout ce que vous accomplirez. L'inaction sera votre perte. La procrastination sera votre abyme. Vous n'êtes pas en vacances sur la planète Terre. Vous êtes dans un cycle où il faut apprendre de vous-mêmes et devenir les meilleurs êtres possibles pour passer à une étape supérieure. C'est ce que l'on appelle l'évolution. Vous pensez être développés mais vous n'êtes qu'au début du chemin. Soyez humbles. Vous ne connaissez rien de cet univers, vous ne connaissez rien des mystères de votre terre, des secrets cachés sous les mers. Votre connaissance est limitée et vous vous limitez à des théories qui ne sont souvent pas démontrées ou peu fiables. Ouvrez vos esprits. Votre meilleur professeur sera la vie elle-même. Observez ce qui vous entoure car parfois, il ne faut pas poser des mots sur ce que l'on voit mais juste ressentir et comprendre la grandeur des choses. Comprendre que vous avez tous une mission de vie et qu'il faut cesser de l'ignorer mais aller vers votre dessein.

Chacun des peuples de l'univers vous souhaite le meilleur. Ne gâchez pas les instants, les minutes, les secondes que les créateurs vous accordent car ils vous ont fait cadeau d'un moment important et d'une valeur inestimable. Il vous offre une transition. Ils vous ont fait une faveur en vous accordant un passage sur la Terre. Ce voyage sur terre doit être utilisé à bon escient. Soyez en conscient.

N'oubliez pas ceci : Humains, vous serez seuls responsables de ce qui arrivera. Chaque individu aura sa part de responsabilité. Chaque être devra assumer son choix d'agir ou de non agir.

Que les créateurs vous protègent et vous guident.

Le livre de l'esprit
Message d'Ys – La conscience de l'être – (Esprit d'Ys)

***

Respirer, faire entrer de l'air dans les poumons et l'expulser pour le renouveler est un acte quotidien dont personne n'a vraiment conscience, jusqu'au jour où se souffle prend fin. Jusqu'au jour où l'infini arrive. Prendre acte de cela c'est éveiller son âme, son esprit.

***

Les oiseaux sont le souffle de la vie. Leur chant est une ode à l'amour et à la paix.

***

Je suis le sol, je suis le ciel,
Je suis le fruit de la source,
Le pilier et les ailes,
L'esprit plein de ressource,
Je suis la mère, je suis le père,
Le gardien de la terre.

***

Libre, je marche, je ravive la flamme de mon être.

***

Je sais que le vent a balayé le passé,
Je sais qu'il éloigne le futur,
Je sais qu'il ramène, quand il frôle ma peau,
Le seul instant qu'il me faut apprécier :
Le présent.

***

Je suis mais je ne possède pas,
Rien de ce que je vois
N'est à moi.

***

Effleure, observe, souris, échange,
Embrasse, offre, aide et envole-toi heureux
D'avoir fait tout ça.

***

L'air que tu sens sur ton cou
Est celui de ton ange éternel.
L'ombre que tu sens dans ton dos
Est celle de ton guide spirituel.
Ne te retourne pas, laisse-les te guider.

***

Tu ne peux pas te perdre
Même le vide n'est pas vide de sens.

***

Quand l'âme s'égare,
Un signe se pose,
Regarde-le, ne te défile pas,
Voilà, ta voie.

***

Dieu, c'est le vent.
Il est l'oxygène que tu inhales.
Dieu, c'est la terre.
Il est le sol sur lequel tu marches.
Dieu, c'est la somme de tous les éléments.
C'est toi, les autres, la nature, les animaux.
Il est amour.
Si l'amour entre en toi, Dieu vivra.

***

Essaie d'attraper l'air,
Tu ne l'auras pas.
Essaie de toucher les étoiles du doigt
Tu n'y parviendras pas.
Imagine l'impossible,
Ferme les yeux,
Ressens cet air, ces étoiles…
Observe-les sous tes paupières closes,

Mets-toi dans l'axe, pointe ton doigt,
Maintenant, touche les étoiles
Et attrape l'air dans tes poumons.
Tu vois bien que l'impossible est possible.

***

La mort n'est pas la fin
C'est la route vers l'infini.

***

L'ego est la base première du mal être.
Plus il est grand. Plus l'être est torturé.
Plus il s'efface et plus l'amour et le pardon illuminent l'être.

***

Entre en toi,
Discerne ton âme, ton mental et ton esprit.
Le mental tourmente,
L'âme vagabonde,
L'esprit te guide.

***

Le silence éclaire la conscience,
Son bruit est un éclat de lumière
Qui guide l'esprit jusqu'à l'éveil.

***

Écoute, le soupir qui s'invite
Ne détourne pas les yeux,
Il t'appelle, il insiste.
Pourquoi ce manque ?
Le soupir en ton cœur
Te dit humblement :
« Le sentier emprunté n'est pas le bon,
Tu n'es pas là où tu devrais ».
Quand le soupir se taira
C'est que tu auras trouvé la bonne voie.

***

Matière, solide et ferme,
Est-ce là le réel ?
L'immatériel, l'impalpable,
Est-ce là l'irréel ?
Quelle croyance est celle que je porte ?
En quoi je crois ?

***

Pose un pied devant l'autre.
Érige une pierre après l'autre.
Écoute pousser les fleurs.
Regarde flotter les feuilles.
Prends le temps d'aimer.
Prends le temps de souffler.
Inspire.
Expire.
Tu es heureux de ce spectacle

Car tu te concentres sur chaque geste.
Rien ne trouble ton mental.
Dis-lui stop. Fais une pause !
Regarde-toi de l'extérieur.
Ton esprit est plus fort.
Ta vie est belle.
Ton âme est prête à l'éveil.

***

Aime chaque être vivant.
Pardonne-lui quand il faut.
De tout ton cœur aime et donne,
Car tout ce que tu sèmes
Un jour tu récoltes.

***

Le ciel est un joyau,
Il n'en termine jamais.
Il est le conduit qui relie les vivants.
De fil en filament,
De firme en firmament.
Je suis lui, je suis elle,
Je suis végétal et animal.
Je suis un tout égal aux autres.
Je ne suis rien, je suis sacré.
J'appartiens à la terre,
Je lui dois le respect.

***

Ombre qui se noie en moi,
Laisse passer le sombre, la nuit,
Car après la pénombre vient la vie.

***

L'essence même de la vie
N'est pas la vie elle-même.
C'est l'invisible pouvoir
Que chaque entité possède et développe.
Sans cet accès à ce don
L'être ne peut vivre heureux.
Il doit libérer son potentiel absolu.

***

Ris, même si tu n'en as pas envie.
Offre-toi ce moment de grâce.
Permets à ton corps d'exulter.
Sois toi et souris.
Lâche prise, ne combats plus.
Laisse glisser sur ton corps
Les paroles les plus dures.
Que peut-il t'arriver ?
Laisse ton ego de côté.
Dis oui à la vie.
Reste calme et posé.
Ris et peu à peu tu retrouveras l'envie.

***

La peur ne peut te mener nulle part.
Libère ton corps des angoisses qu'il cumule.
Vis le présent, laisse le passé.
Il n'est qu'une illusion.
Vis le présent, laisse le futur.
Il n'est qu'une chimère.

***

Je n'ai pas le droit de juger,
Ni les autres ni moi-même.
Mon seul et unique but
Est de m'élever et aider
Les autres à grandir.

***

Tu dois t'entourer de toute la lumière,
Toute l'énergie positive que l'univers te donne.
Tu dois rayonner et offrir ces ondes
À toutes les entités de ce monde.

***

Penser est un état de stress permanent,
Laisse aller ton être tel qu'il est,
Car l'être est pur et la pensée le parasite.

***

L'amour est la seule voie. En toi, il donne la force et la bonté.
Au-dehors, il inonde les autres âmes.

**

Un seul livre peut ouvrir à la vie. Mieux vaut avoir peu de
grande qualité que beaucoup de qualité médiocre.

**

L'esprit est le fil conducteur du cœur.

**

Ton mental se noie quand il prend le pouvoir, reprends le
contrôle !

**

Tout arrive à qui le visualise.

**

Écoute le silence, il te parle, il t'apaise. Il t'offre ce moment de
grâce. Un moment unique où tout soudain trouve sens. Entends
ce vide qui danse. Cette possibilité nouvelle qui chantonne à
tes oreilles. Ce calme qui entre dans ton corps pour t'offrir la
paix de l'âme. Le silence est partout puisqu'il t'appartient.
Celui-ci vit en toi. Il ne demande qu'à éclore. C'est un monde
nouveau qui s'ouvre à toi.

**

Tu n'es pas un corps mais une source d'énergie à l'intérieur de ton véhicule terrestre. Tu es énergie.

***

Contente-toi de peu et accepte le meilleur.

***

Ne sois pas hier,
Ne sois pas demain,
Sois la seconde qui passe,
Ancré à la terre
Et bien présent.

***

Les épreuves te façonnent,
Elles t'apprennent,
Reste debout et tire les leçons.
Grandis.

***

L'espoir fait naître demain.
Crois. Aie la foi. Vois.
Car demain est un leurre,
Vis juste la seconde
Avec l'espoir d'être meilleur
Où que tu sois dans ce monde.

***

Libre,
L'être se doit d'aimer tout ce qu'il l'entoure.

***

Si tu crois en la lumière,
Tu verras la lumière.
Si tu crois au pouvoir de la vie,
Tu aimeras la vie.
Si tu ne crois en rien,
Rien ne t'arrivera.

***

Laisse aller ton cœur
Ne le contrôle pas.
Il est celui qui te guidera.
Ne maîtrise pas tes choix de vie
À l'aide de ton mental.
Car il est ton ennemi.
Ouvre ta conscience…

***

Vois la lumière derrière l'ombre,
Vois l'ombre derrière la lumière.
Vois ton esprit avant ton corps,
Vois ton corps, ressens l'esprit.
Deviens riche d'impalpable.

***

Profite de l'instant
Ne cours pas après le temps,
Il n'est qu'une illusion.

***

La colère est un aveu de faiblesse.

***

Aime ce jour plus qu'hier,
Aime la seconde qui s'enfuit,
Respire, tu es là et cela suffit à ton bien-être.

***

Ne cours pas, marche.
Ne crie pas, parle.
Ne pleure pas, souris.
Ne t'indigne pas, accepte.
Ne combats pas, Aime.
L'univers entendra enfin tes pensées.

***

Le silence est un lieu de prière pour soi.

***

Prière d'Ys :
J'accepte ce qui est,

Je ne me bats plus,
Je ne combats plus.
J'accepte ce qui est,
Je vois sans juger,
J'entends sans jauger.
J'accepte ce qui est,
Je prends l'instant
Comme il est,
Et accepte ce qui est
Car il ne peut en être autrement.

***

Seul, nous naissons,
Seul, nous vivons,
Seul, nous mourrons,
Mais relié à toute chose appartenant à l'univers.

***

Ne pas se mettre en avant
Est preuve de grande sagesse.
Ceux qui ont besoin de lumière
Ont quelque chose à cacher.

***

Tu sais ce qu'il y a au fond de toi,
Tu ne veux juste par l'entendre,
Va au bout, sois responsable,
Ne te cache pas et affronte,

Tu as la force, tu as la foi,
Sois honnête et sois droit,
Tu te trouveras.

***

Crois aux miracles de l'amour pur.

***

Univers,
N'abîme pas mon âme,
N'abîme pas mon cœur,
Laisse-moi être l'infini,
Donne-moi la force.

***

Sois juste l'être d'amour que la force créatrice et divine a créé
Il n'y a pas de douleur, pas d'impur à l'intérieur,
Il n'y a ni ombre ni démon en ton cœur,
Juste un être d'amour qui doit tenir sur le chemin,
Qui ne doit pas dévier mais être droit,
Qui doit prendre les épreuves comme une chance
Comme un défi de la force créatrice,
De grandir et d'apprendre
De devenir le meilleur de toi-même.
Demande et la force créatrice répondra.

***

Les prières d'Ys

« Univers,
Fais entrer en moi la lumière,
Ancre-moi à la terre,
Donne-moi l'amour, la force et l'énergie nécessaires,
Protège-moi.
Guéris mon cœur, guéris mon corps et mon esprit.
Aime-moi. »

« Que les forces créatrices
M'invitent à leur table
Pour que j'apprenne, que je grandisse
Que ces forces m'accablent,
S'il faut tomber dans les Abysses
Pour comprendre tout de mes erreurs,
Alors je fais ce sacrifice
De vivre dans la douleur,
Que les forces créatrices
Me montrent le chemin,
Pour que je crée mes édifices,
Que je fleurisse mon jardin,
Que je chasse à jamais ces vices
Même si je dois pleurer à jamais,

Je veux être la fleur de Lys
Être la force, me purifier. »

« L'âme de ce monde est en toi,
La source coule dans tes veines,
Univers, relie mon âme à la tienne,
Rends-moi meilleur et éternel,
Permets-moi d'accueillir ta puissance,
Pour trouver le courage
D'aller vers ce que je suis.
Univers, je te remercie pour tout ce que tu m'envoies. »

L'homme est son propre ennemi

Il court après l'impossible,
Il se croit indestructible,
Il joue de tout sans passion,
Il voit les jours sans raison,

Il avance sans mesure,
Il bâtit, il inaugure,
Et Il se prend pour un dieu
Mais il n'en a pas le feu...

L'homme est son propre ennemi,
L'homme s'amuse et puis détruit,
L'homme est son propre ennemi,
L'homme ne s' fait pas de soucis...
Pour demain...

Il vole tout ce qui l'attire,
Il a construit des empires,
Il n'en a jamais assez,
Il invente l'insensé,

Il ne veut que le pouvoir
Il ment, il aime décevoir,

Il en oublie ceux qu'il aime
Et il ne voit que lui-même…

L'homme est son propre ennemi,
L'homme s'amuse et puis détruit,
L'homme est son propre ennemi,
L'homme ne s' fait pas de soucis…
Pour demain…

Aparté – Énigme

Il m'est venu, il y a environ un an jour pour jour une sorte d'écriture automatique faîte de sigle. Dès que je pose ma main, je peux écrire des pages entières. Je tenais à partager cela afin d'avoir peut-être une réponse à mes questions. Il m'a été dit qu'il s'agissait d'une entité de l'Égypte Antique qui souhaitait communiquer. Je n'en sais rien. Cela n'est peut-être rien mais peut-être quelque chose d'intéressant. Cela ressemble à de l'Égyptien Hiératique ou peut-être Démotique mais je n'ai aucune certitude. Si certaines âmes se sentent de déchiffrer cela, je partage un morceau de papier griffonné à la main. J'ai d'autres pages mais je les préserve et les garde pour moi pour l'instant. Si quelqu'un à la réponse que cette personne se fasse connaître. Merci de m'avoir lu. Merci à vous.

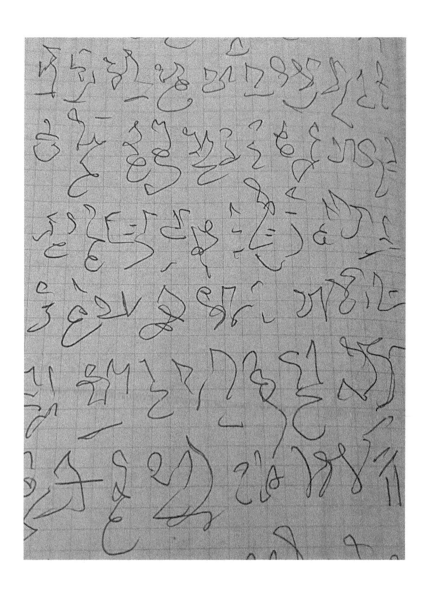

236

Imprimé en Allemagne
Achevé d'imprimer en décembre 2021
Dépôt légal : décembre 2021

Pour

Le Lys Bleu Éditions
40, rue du Louvre
75001 Paris